大學國文選

生命教育篇

—第五版—

輔仁大學國文選編輯委員

召集人 王欣慧

主　編 孫永忠

編　撰 王欣慧、王秀珊、余育婷、李鵑娟、邱文才、林郁超、孫永忠、陳恬儀、黃培青、劉雅芬

五南圖書出版公司 印行

總序

輔仁大學國文課程教育目標為：「增進學生語文、寫作、思辨之能力；提昇學生對文學作品之鑑賞能力與興趣；教導學生體悟中國文化之內涵及現代意義，啓迪學生探討生命與人生的意義，充實人文素養，建構生命倫理價值」，係就語文、文學及文化三個層次加以觀照。又，國文課被列為「基本能力課程」，旨在培養學生終身學習的基礎，提昇其社會服務、實踐自我的能力，其成效必須有優質的教學規劃方能實現。

中國文學系既然負責主導全校國文課程，所以不斷的鼓勵老師們思考如何提昇課程品質，追求精進卓越。九九學年度曾就國文課程教學現況綜合檢討，提出「國文百年大計」之改革計畫。該計畫以縝密的課程設計與有效的實踐方式，獲得本校大力支持與教育部多年獎助，順利在全校一百四十多個國文教學班推行。考量課程實踐亟需一本融通古今的國文選，故以「蘊涵臺灣文化與社會共同情感及價值」為主題，從原有的《輔大國文選》內容進行篩選，再增添許多符合主題、適合教學的現當代佳作，編成《大學國文選》。

在各方支持與鼓勵下，本校國文百年大計的課程設計，迄今已順利推動了九年，成效良好。近年來，也曾就課程與《大學國文選》進行整理，但覺課程內容與選文漸不足擔當未來任務。於是在評估教學理念的變革，教學軟硬體的進化，社會環境的騰躍，以及學生已具多元學習經驗等條件，我們認為應該提前修訂教學策略，以求提昇國文教學效果。在一〇八學年度之初，國文科召集人王欣慧主任便邀集原百年大計之班底，更增添本系幾位菁英學者，分就課程規劃與國文選同步研究檢討。過程中，我們謙敬的體察各領域學子之需，訪談院系主任、前輩師長及第一線國文教學夥伴，以為：當前國文教學更應當與學生命經驗結合，兼顧院系專業特色及符合服務社會之需求，方能實踐深培學生語文能力、喚醒其主體自覺、提供價值思辨的可能，更有效提高學以致用的程度，緣此我們重新設計課程，修編國文選。

歷時十個多月，新修《大學國文選》終於付梓。謹分上、下兩編，上編仍遵本校以生命教育為核心的特色，並加強應用文書寫作內容為五大類，有讀書報告、圖文轉譯、公文、書信及企劃文書。下編考量適時創新與學科領域需求差異，分編為四冊，即：「轉化與創造」、「科技與人文」、「社會與個體」、「醫學與人文」四冊。好似由生命教育篇的齊唱化為四部混聲合唱，更優美多變的形制。形式固然多樣，內容也包羅萬象，強調古今中外之融通，科技與人文之並茂。針對各個學院的特色與需求做出回應，亦提供授課教師靈活運用。一定能成功引領學生閱讀、思辨，述寫宇宙人生，並傳記其獨特之生命故事。

自受命忝為主編，時有尸位之憂，好在夥伴們寬厚，經常予指正，匡濟不逮，特此申謝。也感謝五南圖書黃惠娟副總編所率編輯群長期支援。編撰期間，夥伴們兢業同心，莫敢自逞，務求成品之完善，然或因本人之失而有不周，還祈　方家不吝賜教為禱。

孫永忠

目次

物我單元

實用文書寫作

自我單元

導讀「自我單元」

劉雅芬

莫名的稚拙與自信，卻同時擁有滿腦子的懷疑與恐懼，
其實是全球年輕人的集體現象❶

——李雪莉

人的生命歷程乃由自我一己出發，繼而學習理解「人我」之際，並擴大爲「物我」的關懷，是以本單元以「自我」爲核心主題，兼納以「自我追尋」、「生命情懷」、與「情感安頓」三個子題，進行選文。選文上以持古典、現代選文對舉並讀精神，兼容各種文類爲準則。受限篇幅，無法選文者，則於本篇文末以建議延伸閱讀爲補全。如以《禮記・學記》與余英時〈商業社會中士人精神的再造〉對讀，期許讓文學滲透情意，觸動同學生命情感。

一、自我追尋

此子單元以「人生是自我追尋的歷程」爲核心精神，從探索自我追尋的整體概念出發，以三個W爲單元

❶李雪莉〈青春・煉成金〉，《天下雜誌》四一〇期教育特刊（二〇〇八年十一月），頁一。

重心，三W爲（What）什麼是自我追尋，（Why）爲什麼要這麼做，以及（How）如何進行，以建構自我追尋的歷程。

在資訊爆炸的時代，人們誤把資訊當知識，思緒多元卻混亂未成體系與價值。在教育普及的時代，甚而失去了對知識應有的尊重。大學生在經歷成長期的基礎教育之後，生涯發展正處於生涯探索期和生涯建立期的轉換階段。其主要的發展任務即在透過生涯探索的歷程，增進生涯覺知（Career Awareness），並逐漸釐清其生涯發展方向，以完成具體的生涯計畫和準備。如何教好大一生，引導高中生順利過度到大學，協助同學在關鍵第一年就有正確的態度與學習工具，爲大一國文教學的當務重點。

吳靜吉《青年的四個大夢》❷一書中以人生的四個夢想串起了大學生的追尋歷程。青年的第一個大夢是人生價值的追尋，第二個大夢是良師益友的肯定，第三個大夢是職業的抉擇，第四個大夢是情誼的承諾。

第一個大夢，是一個人「生命的目標」、「生活的目標」，是「一個人希望自己成年時，在成人的世界中將扮演一個人什麼樣的角色，要做什麼樣的人。」它是對未來擬定藍圖，做個計畫，對人生做一個統籌釐清自我追尋的疑義，肯定自我追尋的動機進而整合、歸納出自我追尋的目標與做法。從而能與自我和諧相交，自我肯定。

孟子「人之異於禽獸者幾希矣」是從人類共通的道德心來定義人和人格。佛洛姆（Erich Fromm）《自我的追尋》中闡明並認爲「人生的意義在於能夠發揮最大的創造力。……人信賴自己的理性，以它作爲建立正確的道德規範的標準；同時教導人們，對善與惡的明辨需依靠自己。」

自我追尋必須經過肯定、否定、探索、尋求的歷程，每一次面臨危機，都隱含著探索成長的機會。以傳

❷吳靜吉《青年的四個大夢》，遠流出版社，二〇一一。

記文學中的人、事典範個案爲分析學習之本，從中培養領導與解決問題的能力、墊高敦品勵行的精神高度、強化對社會的責任感。在先賢與當代前輩的行事中，體悟爲人處世的道理與奮發向上的精神，並依其成功經驗，學習成就事業的方法。進而學習成就典型，修養優良人生價值觀。爲自我人生進行「承諾」。歷經危機、追尋的階段，而最後有所承諾，實現夢想的以達到「自我實現」、「認同有成」。

基於古典、現代選文對舉並讀精神，建請讀者以《禮記．學記》與余英時〈商業社會中士人精神的再造〉對讀，建構釐清古今中外「大學」與「大學生」名義之沿革演化，上溯現代大學之源頭，引導同學理解大學的理念與角色並不是永遠不變的，尋沿革軸線深入思考今日之大學之功能與大學生之責任。❸

張曉風〈唸你們的名字〉期許未來將掌握數千人命的醫學院新生們，要時時懷有惻隱之心，貼近別人的痛苦，體諒他者的憂傷，而非一味地沉浸於醫師的頭銜與權威。期許「讓別人去享受『人上人』的榮耀，我只祈求你們善盡『人中人』的天職。」本文原是對醫學院新生的禱詞，但更可做爲給全體大學新鮮人的祝福禮，引領大學新生反思並感受個人姓名的意義與珍貴。對比二〇二一年臺灣部分新生代學生爲免費求食而輕率更名所產生的「鮭魚之亂」，此文或更可提醒同學重新思索個人生命所得到的第一個祝福與期許，進而深化對大學生身分認同與責任理解。

〈迷路的詩〉展示了時光的詩意。作者楊照在高中畢業十五年後，於而立之年（一九九六）重尋中學年少之我（一九八一）。尋覓中隱見青春眷戀，辯證中展示敘事技術，遂爾重構出以詩作爲救贖，見證當年那詩意青春。

楊照是國內作家少數極關注青春熱血的我輩，文中除了青春年少的不安、騷動、衝撞，更提及彼際中美斷交、美麗島事件等世變對少年的衝擊。因此早慧詩人，遂無法再安於詩意青春小日子，詩筆遂暫擱。在臺

❸關於近現代大學的演變，請參閱金耀基《大學之理念》，時報出版，二〇〇三年八月。

灣戒嚴的陰鬱時代裡，他亦無憾帶著沉鬱的少年傷感壯成為公共知識份子，在成長過程中於詩國「迷路」。

《迷路的詩》於一九九六年出版，二〇一一年再版，楊照於書的結尾寫道：「近中年的心境裡，坦白地說：能夠迷路的少年時光，竟是一種幸福」。其近作《尋路青春》頗可一讀，其言：「在成長過程裡，青澀比什麼都可貴，因為青澀含蘊了驚人的野心……年輕賦予每一個人給世界驚喜的權利，叫世界都來振奮。」❹「尋路」，既是對成長空間的地誌書寫，「青春」則不免讓我們看到他對年少的追懷更或繼續復返。正因為一去不返，青春真的只有一次，年輕是最大的資本，「大鵬一日同風起，扶搖直上九萬里」，願我們都能走一趟不後悔的青春。

本單元對應大學階段「生命教育」之內涵（生命的意義、生命的興致、生命的活力、生命的實現、生命的成長、生命的倫理、生命的歷史、生命的關懷）。希引導同學進行生命的意義之思考，醒悟一己存在之意識，並開展對自我生命價值的追尋。❺

---

❹ 楊照《尋路青春》（臺北：天下文化出版社，二〇一二年）。前引文字見頁二二七。

❺ 本主題建議延伸閱讀：余英時〈商業社會中士人精神的再造〉《知識份子十二講》，（臺北：立緒出版社，一九九九年）。金耀基《大學之理念》，（臺北：時報出版社，二〇〇三年）。大江健三郎著．陳保朱．譯《為什麼孩子要上學》，（臺北：時報出版社，二〇〇二年）。Derek Bok著．張善楠．譯《大學教了沒？：哈佛校長提出的八門課》（Our Underachieving Colleges）（臺北：天下文化，二〇〇八年）。連加恩原著．王小棣導演《四十五度C天空下》DVD，（臺北：采昌國際多媒體，二〇〇五年）彭明輝《生命是長期而持續的累積：彭明輝談困境與抉擇》（臺北：聯經出版社，二〇一二年）。賴芳伶〈「時光命題」暗藏的深邃繁複〉《興大中文學報》十四期（二〇〇二年二月），頁二一一—六四。謝錦桂毓《生命的窗口：謝錦的課堂，從文學鑑賞認識自己》（臺北：麥田出版社，二〇一一年），頁六七—八七。

二、生命情懷

面對自我困厄，或世界的危難不公，究竟應該抱持著什麼樣的情懷來面對？如何透過思索，找到屬於自己的生命態度，並且在此刻、此在化爲實踐的動力？

《莊子》首篇〈逍遙遊〉爲莊子思想的中心主旨，體現了莊子對審美人生和獨立人格的永恆追求，詮釋了自由自在的生命理想境界。「逍遙」在辭書中基本釋義爲「自由自在、不受拘束。」今人常僅知其「瀟灑不拘束」義，卻未深思其中「自由」眞諦，逍遙並非不羈，而是心靈上的體悟。「失意得意，往往都是局限於世俗框架裡的」，需先明白框架之所在，方得超越。莊子以鵬與風的關係敘寫了人生欲得逍遙的四層境界，大鵬之待風、乘風、背風、棄風，一如人生之積累、成長、發展、獨立，然欲得大自由終需棄風靜無、超脫物我進而與宇宙虛空融爲一體，始得到自由精神狀態和空靈閒適的心境。唯有先明白了人生的承擔，方得超然物外，遊於逍遙。

李喬〈水鬼．城隍〉將民間故事〈城隍〉原型改寫，既借古諷今又開展新題，以死論生，扣問生命情懷。引領讀者重新思考生死議題，人經常因爲無知，而對死亡感到懼怕，或是完全不思索死亡而虛擲生命。然死生實爲一體之兩面，探討死亡，即是理解生命。故事主角林淡水在生時爲人世一「失敗者」，因對世界充滿憤懣無奈自盡遂成一名水鬼，死後方知死亡不是解脫，仍須在地獄中仍須重新面自我生命的責任與抉擇。面對「捉交替」或成爲萬年水鬼的選擇，林淡水如同司命官所提示「生命必在貪戀中提升」、「生命必在苦難中完成」，因著悲憫與承擔，林淡水脫離水鬼苦海輪迴，成爲受到尊崇的城隍，完成了人世所謂「圓滿」的結局。然而，原來「擁有權勢」之於不同質性者，可能成了另一種苦難。林淡水故事的結尾選擇回到東河橋下，李喬揭示了人生所追求的超脫苦難之道，並非塵世之外而就在此間，在一己對苦難的悲憫、承擔以及安住苦海的修行。

人依其先天稟生之氣質差別，後天之教育及環境有異，其理想追求與智識局度皆有所不同，每個人的胸襟懷抱或生命情調本應殊異而獨特。然若就傳統之理想而言，則略可區分為二：其一乃以自我一己一時之困窘，推而廣之，擴充至人生或全人類的悲憫和承擔；另一種，則是力求超脫外在困厄，以達到逍遙人生。此雖為二種不同的人生取向，但並不是扞格不入，無法融合的生命態度，故窮困之時可以力求超脫，得志之時則兼善天下，或者盡其心、效其力，將成敗歸諸天地而無憾。對年輕之學子而言，無論是懷抱著濟世、救人的情操，或是力求一己之超越與逍遙，甚至在專業中為人群服務，或是在日常瑣事和現前人事環境中進行生命的提升，以上種種，都是一種可能而充滿價值的人生選擇。

以今日紛亂多變，物欲橫流之人事環境觀之，欲得胸襟之拓展與識度之淵廣，尤須先去除不必要的欲望與情緒、判斷，以求得心中的寧靜，不為眼前的事物、日常瑣事所限制，亦不為一時得失所困擾，在面對各種挑戰及選擇時，方能堅持自己的人生目標，並且為自己的人生塗上鮮明而不混濁的色彩。❻

二、情感安頓

親情、友情、愛情，是人的生命歷程中最重要的情感向度，本課程在選文上分為二部分：一是閱讀情感的美好，體驗生命的完滿；一是閱讀情感的困境，思索生命的意義。透過自我情感的交互辯證，帶領同學體

❻本主題由本書編者陳恬儀教授協助撰寫。建議延伸閱讀：楊渡著：《水田裡的媽媽》，南方家園出版社。伊莉莎白．庫伯勒－羅絲著：《天使走過人間－生與死的回憶錄》，天下文化。蘭迪．鮑許著：《最後的演講》，方智出版社。肯恩．威爾伯著：《恩寵與勇氣》，張老師文化。傅偉勳著：《死亡的尊嚴與生命的尊嚴》，正中書局。余德慧、石佳儀著：《生死學十四講》，心靈工坊。影片《醫生》，鍾孟宏導演，甜蜜生活製作（記錄片）《酷馬》、《一路玩到掛》、《父後七日》、《秋天裏的春光》。

悟各種感情的眞義、思考解決困境的方法，讓其勇於認識自己、勇於面對人生，進而增加其情感的抗壓性。

鍾文音〈穿母親買的衣服〉一文中，從母女對衣著迥異的款式風格課題入手，談論著「父母期待/自我成就」的傳統核心課題。在作者成長中充滿與母親的對立、衝突，在這些拉扯之中，作者選擇了「出走」、「旅行」以爲成長的辯證。但，在自我成就後，卻又選擇回歸，進而心甘情願地以穿上符合母親審美的衣著與其和解。

特別是關於母親病弱之際的描寫；女兒靠向母親，並非向母親索討幸福，而是希望將自己的力量加持給母親，令人動容。女兒對母親的態度，鍾文音筆下的溫柔自省、勇敢而謙卑地回憶的過程中，蓄積了前行的勇氣與力量。

在愛情上，臺灣現代詩壇的超現實主義旗手洛夫卻在情詩中展現了簡潔靜觀的詩語言。〈因爲風的緣故〉，以日常事物說感情眞義，煙囪、燭光，愛火雖燃，更需珍惜當下與守護。尋常意象過濾多餘熱情，安靜內斂卻體驗洗鍊的永恆旨趣。不同寫給妻子情詩，〈愛的辯證〉一題二式〈我在橋下等你〉、〈我在水中等你〉，作者以辯證思維達致其理想詩觀：

是「永遠等待」的堅貞，還是「申明立場」的明智?是「天長地久有盡時，此恨綿綿無絕期」的痴迷，亦或「非我無情，只怪水比你來得更快」的現實、理性?

作者以知性與感性得到適當調配的詩，介於可解與不可盡解之間，引領世人思考眞正的愛情與人生處世的態度。無論答案如何愛情或許一如詩歌中靈光閃爍之間所產生不可盡解的美感，這種美感是瞬間的，也是永恆的」。❼

❼本主題建議延伸閱讀：林語堂：〈論幽默感〉《論語》第三十三、三十五期。汪其楣：〈不戴手套的人〉《海洋心情：為珍重生命而寫的 AIDS 文學備忘錄》，逗點文創結社。

禮記．學記

發慮憲❶，求善良，足以謏聞❷，不足以動眾。就賢體遠，足以動眾，未足以化民。君子如欲化民成俗，其必由學乎！

玉不琢，不成器；人不學，不知道。是故古之王者，建國君民，教學爲先。〈兌命〉曰：「念終始典❸於學。」其此之謂乎！

雖有嘉餚，弗食，不知其旨也；雖有至道，弗學，不知其善也。是故，學然後知不足，教然後知困。知不足，然後能自反也；知困，然後能自強也。故曰：教學相長也。〈兌命〉曰：「學學半❹。」其此之謂乎！

古之教者，家有塾❺，黨有庠❻，術有序❼，國有學❽。比年入學，中年考校。一年視離經辨志，三年視

---

❶慮憲：思慮合於法度。

❷謏聞：謏，音義同小。謏聞意謂小名聲。

❸典：經常。

❹學學半：上「學」即斆，音ㄒㄧㄠˋ，教也。鄭玄注：「學人乃益己之學半。」意即教人實則有一半是自己增長知識。

❺家有塾：塾，學校名。《周禮》：「百里之內二十五家為閭，同共一巷。巷首有門，門邊有塾，民在家之時，朝夕出入，恒就教於塾。」故云「家有塾」。

❻黨有庠：庠，音ㄒㄧㄤˊ，學校名。五百家為一黨，黨中立學，教閭中所升者也。

❼術有序：序，學校名。術，音ㄙㄨㄟˋ，通遂。一萬兩千五百家為一遂，遂中立學，教黨中所升者也。

敬業樂群，五年視博習親師，七年視論學取友，謂之小成；九年知類通達，強立而不反，謂之大成。夫然後足以化民易俗，近者說服而遠者懷之，此大學之道也。《記》曰：「蛾子時術之⑨。」其此之謂乎。

大學始教，皮弁祭菜⑩，示敬道也。〈宵雅〉肄三⑪，官其始也。入學鼓篋，孫其業也。夏楚⑫二物，收其威也。未卜禘⑬不視學，游其志也。時觀而弗語，存其心也。幼者聽而弗問，學不躐等也。此七者，教之大倫也。《記》曰：「凡學，官先事，士先志。」其此之謂乎！

大學之教也，時教必有正業，退息必有居學。學，不學操縵⑭，不能安弦；不學博依，不能安詩；不學雜服，不能安禮；不興其藝，不能樂學。故君子之於學也，藏焉，脩焉，息焉，游焉。夫然，故安其學而親其師，樂其友而信其道。是以雖離師輔而不反也。〈兌命〉曰：「敬孫⑮務時敏，厥脩乃來。」其此之謂乎。

今之教者，呻其佔畢，多其訊言⑯，及於數進而不顧其安，使人不由其誠，教人不盡其材，其施之也

---

⑧國有學：天子所都及諸侯國所立之學。

⑨《記》曰：「蛾子時術之」：記者，舊人之記，古籍之語也。蛾，音義同蟻。此句意謂螞蟻之子時術銜土，其功終能成大垤。

⑩皮弁祭菜：皮弁，以白鹿皮為弁帽。祭菜，以水芹水藻等菜祭祀先聖先師。

⑪〈宵雅〉肄三：宵，音義通小。肄，習也。〈宵雅〉肄三，即學習〈小雅〉中〈鹿鳴〉、〈四牡〉、〈皇皇者華〉三首君臣宴樂之詩。

⑫夏楚：鄭玄：「夏，槄也；楚，荊也。二者所以撲撻犯禮者。」夏、楚分別指用槄木、荊條做的教鞭。

⑬卜禘：禘，天子諸侯於夏日對宗廟的祭祀。卜禘，透過龜卜確定夏祭之日。

⑭操縵：縵，琴弦。操縵，操理彈撥琴弦的基本技能。

⑮孫：謙遜。

⑯呻其佔畢，多其訊言：鄭玄注：「呻，吟也。佔畢，通笘簞。皆書簡。訊：音ㄙㄨㄟˋ，通誶。言今之師不曉經之義，但吟誦書簡之文，不待學子自悟而強說教，叨叨不休。」

悖，其求之也佛。夫然，故隱其學而疾其師，苦其難而不知其益也，雖終其業，其去之必速，教之不刑，其此由乎！

大學之法，禁於未發之謂預，當其可之謂時，不凌節而施之謂孫，相觀而善之謂摩。此四者，教之所由興也。

發然後禁，則扞格⑰而不勝；時過然後學，則勤苦而難成；雜施而不孫，則壞亂而不脩；獨學而無友，則孤陋而寡聞；燕朋⑱逆其師，燕辟⑲廢其學。此六者，教之所由廢也。

君子既知教之所由興，又知教之所由廢，然後可以爲人師也。故君子之教喻也，道而弗牽，強而弗抑，開而弗達。道而弗牽則和，強而弗抑則易，開而弗達則思。和、易以思⑳，可謂善喻矣。

學者有四失，教者必知之。人之學也，或失則多，或失則寡，或失則易，或失則止。此四者，心之莫同也。知其心，然後能救其失也，教也者，長善而就其失者也。

善歌者，使人繼其聲；善教者，使人繼其志。其言也約而達，微而臧㉑，罕譬而喻，可謂繼志矣。

君子知至學之難易，而知其美惡，然後能博喻；能博喻然後能爲師；能爲師，然後能爲長；能爲長，然後能爲君。故師也者，所以學爲君也。是故擇師不可不愼也。《記》曰：「三王四代惟其師。」此之謂乎。

凡學之道，嚴師爲難。師嚴然後道尊，道尊然後民知敬學。是故君之所不臣於其臣者二：當其爲尸㉒則

⑰扞格：堅不可入之貌。
⑱燕朋：燕，猶褻也。褻其朋友，對朋友不尊重。
⑲燕辟：朱熹：「燕辟謂私褻之談，無益於學，而反有所害也。愚所謂燕辟，如所謂『群居終日，言不及義也。』」
⑳和易以思：孫希旦：「和者，扞格之反也。易者，勤苦之反也。思者，壞亂之反也。」
㉑臧：善也。
㉒尸：在祭祀中代表被祭祀的神靈。

弗臣也，當其爲師則弗臣也。大學之禮，雖詔於天子，無北面，所以尊師也。

善學者，師逸而功倍，又從而庸㉓之；不善學者，師勤而功半，又從而怨之。善問者，如攻堅木，先其易者，後其節目，及其久也，相說以解；不善問者反此。善待問者，如撞鐘，扣之以小則小鳴，扣之以大者則大鳴，待其從容，然後盡其聲；不善答問者反此。此皆進學之道也。

記問之學，不足以爲人師。必也聽其語乎，力不能問，然後語之；語之而不知，雖舍之可也。良冶之子，必學爲裘㉔；良弓之子，必學爲箕㉕；始駕馬者反之，車在馬前㉖。君子察於此三者，可以有志於學矣。

古之學者，比物醜類㉗。鼓無當於五聲㉘，五聲弗得不和。水無當於五色㉙，五色弗得不章。學無當於五官㉚，五官弗得不治。師無當於五服㉛，五服弗得不親。

㉓庸：功也。

㉔良冶之子，必學為裘：孔《疏》：「積世善冶之家，其子弟見其父兄世業陶鑄金鐵，使之柔合，以補治破器，使之完好，故其子弟仍能學為裘袍，補續獸皮，片片相合，以至完全也。」

㉕良弓之子，必學為箕：孔《疏》：「善為弓之家，使角幹撓屈調和以成弓，故其子弟亦觀其父兄世業，仍學取柳和軟，撓之成箕也。」

㉖始駕馬者反之，車在馬前：孔《疏》：「始駕者，謂馬子始學駕車之時。此駒既未曾駕車，若忽駕之，必當驚奔，今以大馬牽車於前，而繫駒於後，使此駒日日見車之行，其駒慣習而後駕之，不復驚也。」

㉗比物醜類：鄭玄注：「以事相況而比之，醜猶比也。」

㉘五聲：宮商角徵羽。

㉙五色：青赤黃白黑。

㉚五官：司徒、宗伯、司馬、司寇、司空。

㉛五服：斬衰、齊衰、大功、小功、緦麻。

君子曰：「大德不官，大道不器，大信不約，大時不齊。」察於此四者，可以有志於本矣。

三王之祭川也。皆先河而後海；或源也，或委[32]也。此之謂務本。

[32] 委：流所聚也。

迷路的詩

楊照

很長一段時間，生活裡完全沒有詩的蹤影。少年時代早已逝去了許久，浪漫情懷也逐漸無從負擔，每日在熙攘喧嘈的街衢間擲盪來回的腳步，習慣了偶爾蹙眉怨歎，偶爾縱情放歌的心情代換，便不再想起詩，不再覺得有躲到哪個冷冷角落咀嚼一首詩的必要。

想起詩的那個早晨，Y打電話來。我從一陣瘖瘂詭異黑白無聲的睡眠裡驟然醒來，乍乍聽見話筒裡Y熟悉而又被時間沖刷洗白了一層的聲音，感官霎時在夢與現實、即下與過往間莫名所以地穿梭跳盪，整個世界彷彿要在重重的弔詭中迸裂爆炸。一股驚急的暈眩襲來，一種迷路的感覺。

詩總給我一種在幾個被神秘地切割開的世界中逡巡找不到出路的恐慌，一種迷路的感覺。

而Y竟就跟我談起詩。像一個久違了的朋友。久違了的Y和久違了的詩。

Y說她正在一所中學代課教國文，下星期的課文是詩，現代詩。她把自己過去擁有的零落文藝書籍搜出來，卻赫然發現所有與詩有關的書都是我送給她的。她甚至還在一本附有楚戈禪味十足的線條插畫的《韓國詩選》夾頁裡找出一張我寫的詩。

「今夜我的座椅將不再當窗……」她先是帶些戲謔意味地朗誦了詩的開頭，我正要阻止她，她卻又換了一個比較風塵蒼茫的慨歎說：「那些日子呵。我都忘了，我甚至忘了曾經讀過這樣一首寫在雪白蟬翼薄的航空信紙上的詩了……」

我可以感覺到自己臉上皮膚因尷尬而蜷擠的力量。我也幾乎忘了，或者以爲自己忘了。然而事實上在那一瞬間，卻什麼都回來了。

今夜我的座椅將不再當窗
木紋細膩的封鎖悄然取替了
涼風習習的想望

子夜街頭變換的潮寒季候
以及寂寞以及慰療寂寞的擁抱
都將不再與我干涉

今夜當窗的心情不再干涉
我私自暗擬虛構的劇目
死了朝菌死了蟪蛄死了蜉蝣
短暫的生命輪迴中
演了一遍又一遍又一遍
無謂的殉情與無聊的等待

今夜我封鎖所有的心情

Y在電話那頭半認眞半開玩笑地問：「這是一首情詩嗎？」我撐起身子讓自己靠坐在床頭，無法回答這樣一個顯然遲來了許久的問題。

如果是十一年前，剛寫完這首詩的那個夜晚，我應該會怨懣不平地回答說：「不，這是一首失去愛情的詩。」如果是七、八年前，我可能會呵呵地笑出聲說：「那只是一個笑話罷了。」而進入一九九〇年代，詩的蹤影失去了許久之後，我卻迷失在對回憶的意義追索的歧路裡……

原來這一切我都記得。一九八〇年是個沮喪的年頭。到處悶悶的讓人覺得好像手腳長出肢體外都是一種叛逆、危險的姿態。前一年還不是這樣的，七九年很熱鬧。甚至再早，七八年也還有些值得一生存記的騷動。

我還記得那是個初夏的晚上，一九八〇年過了差不多一半，而我們的高二只剩下幾天。下學期的校刊向來是畢業典禮那天出刊的。那時節我其實跟校刊社沒有任何關係了，但那些編輯都還是我的死黨，所以從完稿的最後階段我就跟他們一起在校刊社裡混，剪貼、校對、打地舖過夜，被侵犯肚皮的露氣冰醒就找出撲克牌來打一圈梭哈，用那一年莫名其妙改成單張式的學生月票作賭注。

畢業典禮那天晚上，我也跟著他們在林森南路上的一家蒙古烤肉店裡爲出刊而慶功。我們囂張地抽著昂貴的長枝肯特菸，叫來一瓶瓶的啤酒和紹興。有一個夜間部的編輯惡戲地拿來兩杯褐黃的紹興要和我對乾，他搶先喝盡眼前杯中的液體，我只好在眾人鼓噪中狠狠地將嗆人的氣味硬灌入喉嚨裡。然後他們才譁然宣布對方杯中的是茶、不是酒。

我沒有生氣。我甚至沒有氣力作出一個自我解嘲的鬼臉。夜深了，這個玩笑算是散場前的壓軸。走出餐廳，熱烘烘的空氣襲面黏成爲裹身的汗意。像是要釋放掉被封塵了的發酵乙醇，我張著嘴，踉蹌地朝林森北路的方向走去。

我想我喝醉了。我拖住樹哥和菜動（我們那群朋友有著各式各樣考驗人想像力的外號），拒絕搭上可以到家的公車，一直走一直走，同時口裡一直一直說著話。

我無法控制自己的嘴巴，可是卻很清楚知道自己在說些什麼。隨著高二的結束，我們的自由反抗也將星散了罷。聯考的陰影會徹頭徹尾的改造我們。沒有公假、沒有翹課、沒有校刊社一櫥櫃一櫥櫃的課外書籍、沒有星期六下午鎖門流傳的黃色照片、沒有不及格也不在乎的數學考卷……

我抱怨著各種詛咒從去年年底之後紛紛地傾倒在我們身上。去年年底的那一陣混亂。每天走過重慶南路幾乎都會發現有新的雜誌竄冒出來，裡面講著些我們以前不懂的事。我們總是熱切地翻閱直到書攤老闆投來極其兇險的眼光，並且趕脫了一班又一班的公車，回家時可以聽到路上商店鐵門吱嘎吱嘎打烊的響聲。

民主。戒嚴。黨禁。臺灣史。蔣渭水。雷震。臺灣民眾黨。謝雪紅。獨裁者。

那一陣子，大批陌生或者原本因太熟悉而失去明確意義的字眼，突然透過那些朝生暮死的雜誌流出在我們之間。我們大聲地爭吵它們背後的邏輯關係，眞實的或想像的，就好像這也是平日戲弄玩笑的一部分。

七九年時，我們不尊重任何規定。我們想辦法打破所有的規定。我們甚至在校刊上嘲弄隔鄰的女校。那是我們叛逆史的顛峰。彭鳥模仿莊子的筆調（我們那時如同發現新大陸般讀著陳鼓應以存在主義觀念附會解釋莊子的著作）寫了一篇短文，把「北一女的新書包沒水準」一行字樣藏在裡面。文章、完稿都通通審核了，出書當天，我還記得是十二月一日星期六，才被總教官看出端倪。訓育組長緊急廣播要求各班將新發的校刊悉數繳回。那可能是校史上空前絕後的校刊回收事件。然而消息迅速走漏，有人在交回前先把出問題的那一頁撕下來留存，還有人假藉名義溜出校門影印。

風波席捲。校刊社所有社員集合起來，在訓導人員監督下撕書，撕下來的紙頁還要點數裝袋，送往訓導處銷燬。可是到了中午放學時，校外的文具店幾乎每家都影印了數十份問題文章，待價而沽。尤有甚者，風聲傳到了女校，連女校旁的文具店也透過同業關係開始印製傳售。

星期六下午，我在訓導處領受總教官及訓導主任的咆哮。其他社員還沒把書撕乾淨，女校校長已經主動打電話來訊問事件來龍去脈。我耳邊塞滿了記過的威脅。那時節的少年總難免有些英雄主義的妄想。我把音量提到和腔調很重的訓導主任一般高，堅持這件事由我一人完全承擔。我是主編，所有稿件是我安排審理，所以要記過只能記在我頭上，與那個專欄的三名編輯沒有關係。

我那副理直氣壯的模樣，惹得訓導主任幾乎要撲過來揍我一頓。可是卻提醒了心機城府、官僚閱歷都比較豐富的總教官。他把訓導主任勸住，然後去調出我的身家資料，仔細地端詳、檢查。

我父親的名字裡有兩個非常冷僻的字眼。聽說都是中醫藥材的名稱。我事後輾轉得知，總教官對那兩個字感到某種禁忌。通常會這樣取名字的家庭都有些特殊的背景。而且通常會盲目依照英雄主義不計後果行事的少年都出身於不簡單的家庭。基於這兩點考慮，他決定先將處罰案按下不動，他的軍旅經驗告訴他，必須先弄清楚我的來歷才行。

其實我家裡什麼背景都沒有。可是我及編輯們竟然就這樣逃過了處罰。當然這跟女校校長的反應也有關係。我們早就聽說她是個虎姑婆型的老太太，嚴厲苛刻而且對教育抱持一種近似軍事訓練的信念，她管理的女校上下課都還使用金屬刺耳的號角聲。撕書事件後五天，就是我們學校校慶，女校校長循例會來參加典禮，那次她來之前事先打電話給我們校長祕書，指名要在典禮後見我。

校長祕書是個脾氣古怪暴躁的小老頭。他事先把我找去，要我立正在桌邊聽他訓斥。他的個子很小，坐著的時候更顯得袖珍，我老是看見日光燈照在他半禿卻擦得油亮的頭頂上，再反射躍跳閃著我視網膜的白燁燁冷光。他罵得愈兇，頭晃得愈厲害，光也隨著到處亂射，那種混亂無序不知怎地便透顯出一種喜感來，我幾乎要忍不住笑起來。為了要忍住笑，我只好把氣吹到腮幫子裡，讓兩頰囫圇地圓鼓著。校長祕書看我做出那樣的表情，無法再克制自己的脾氣，半支起身就對我揮過一掌來。

我完全沒料到他會動手，本能地向後躲閃了一下，他身材不夠高，加上桌椅卡陷，一掌揮了個空，整個人重重地跌在厚質紅木的桌面上。可以想像那一定很痛。痛楚會讓一個人失去控制，急於想報復。我意識到他的怒火更燒旺了一級，也沒怎麼考慮便反身奪門而出，校長祕書在我身後發出狼嗥般的叫聲，腳步踉蹌雜沓地追來。我們極其滑稽地在紅樓古意盎然泛著青寒氣息的走廊上閃躲追逐了兩圈，正不知如何收場時，操場上的典禮結束了，校長伴同著女校校長走上樓來。

祕書以驚人的速度迅速回復唯諾卑屈的模樣，只是在跟兩位校長點頭微笑時，不忘也斜白眼惡狠狠地瞪向我氣吁吁地乍然停歇的位置。那一刻，我禁不住劇烈地打了個寒顫。

我想我那時候眞的怕。第一次意識到這一切可能帶來的後果，不能想像如果被退學或留級什麼的。我們的教育體制裡可沒有羅賓漢的綠林留給英雄。恐懼一下子清除了我心中原有的玩笑心態和自以爲是的傲慢。重回校長室後，我的眼前就是女校校長那張略顯有些腫脹，本來老化的皺紋被不自然地撐滿著的臉。

臨大事的惶懍使我不像前幾天那樣口氣衝動，我近乎低聲下氣地向女校校長解釋我們爲什麼開這種玩笑的種種原因。各校的高中生圈都在流傳關於女校今年換的新書包的笑話，鮮亮的綠色接近新生幼稚園的書包顏色，而且不小心會被駕駛人誤認爲是跌倒在地上低低的綠燈。幼稚的新校名圖案有損第一志願女校的風範。更何況原來的書包的傳統被橫生棄絕了，大家都不滿意。背新書包的高一新生更是不情願地在公車上掩掩遮遮。我們費了很多心血要把這種學生間的共同心態傳達出來。就是不願得罪貴校才需要用這種方法。我們編輯寫的文言文中規中矩，不知道的人許多還以爲是照抄莊子原文呢？您看您看，這不也是一項智慧的表演嗎……

簡直像奇蹟一般，女校校長被我逗笑了。她像個電視裡的老媽媽，把我的手抓過去握在她的雙掌中輕輕拍了拍。「你這小孩還不錯，我喜歡。是愛開玩笑了些，不過還知道分寸。而且我們那個新書包是眞的沒有舊的莊重。我跟你們保證，明年就換回來了，換回來了。不錯，你，我是滿喜歡的。」

女校校長一面說，我一面帶點不好意思地露出恐怕頗有諛媚意味的笑容。

那是七九年十二月六日。撕書事件大致風波底定。沒有人被記過、處罰。我沒有跟社裡的人講述這些事，主要理由可能是覺得羞恥。那天對女校校長講話的過程我不太願意去回想。像一場鬧劇。而我是劇裡的大丑角。與我原來英雄主義的信念幾乎是一百八十度的逆轉。

八〇年初夏的晚上，我才說給樹哥和棻動聽。因爲我醉了，因爲我覺得年少青春的一些熱鬧風華好像正要不復還地離我遠去。我原是想抓住些什麼的，抓了半天，手裡空空的，只留下因爲抓不住而發的滿腹牢騷。

十二月六日校慶，十二月十日就發生了美麗島事件。校刊剛編完那幾天，感覺非常不習慣。沒有公假可以請，只好回到教室裡上數學英文。驀地感受到鄰座有人對我們懷持著種種的情結。有人暗地裡指責我們藉編校刊的機會享受特權。另外，有人因爲我們不時冒出離經叛道的言論而橫眉冷目。同時卻也有人慫恿我們帶頭反抗他們所不滿的老師威權，還有人急於透過我們瞭解課本以外、電視以外的世界還有什麼值得接觸的。

那個初夏的晚上，我格外清楚記得阿翔。阿翔坐在我的左後方，他是造成進入八〇年後我的世界轟然崩潰的主要敵人。我只向樹哥及棻動抱怨兩件事，我和阿翔無數衝突中留下傷痕最深的兩次。一次是八〇年的新年剛過，我們回到學校補寫假期中的作業，英文作業裡每一個字幾乎都不認識。看了半天意外地找到Bible這個字，我私底下跟另一個同學說：「〔bɪbl〕，這個字好熟，好像在哪裡聽人家說過……」這時阿翔突然冒出一陣大笑，竄過來指著我作業上的字說：「什麼〔bɪbl〕這是〔baɪbl〕！連『聖經』這個字你都不認識。還說聽過人家說〔bɪbl〕，哈哈哈，我知道了，你一定是把它誤弄成Bill Board了，熱門歌曲排行榜……」

我座位周圍的人都跟著哈哈笑，好像這眞是個天大的笑話。多麼沒有面子的事情哪，我既不懂聖經，也不懂熱門歌曲排行榜。

又有一次，是美麗島事件發生後沒多久。早上朝會時校長聲色俱厲地誦唸了一篇譴責暴民的聲明。可是那時候一直還沒有確實要抓人的消息。大家都覺得納悶。中午時，我們在走廊上跟著憂國憂民地談論著，有人義憤塡膺地主張政府不應該猶豫，要立即把這些人抓起來槍斃除害。我可能是讀了最多「有毒」雜誌的人，我從那些啓蒙色彩很濃的雜誌裡學來的古怪知識使我決定採取不一樣的立場。我猜測政府不會抓人。因爲如果抓人可能會暴露出許多政府本身法令與政策，或法令與法令間衝突的地方，這樣反而可能給社會帶來更大的動盪。我費盡唇舌解釋黨外雜誌及事件所批評攻擊到的政府弱點，勉強說得幾個同學半信半疑，就在這當口，阿翔用類似於不屑的口氣插嘴說：「別笨了啦！怎麼可能不抓人？我跟你打賭政府一定要抓人！」

可笑的是，我眞的笨到和他打賭。沒有什麼實質的金錢賭注，而是把我那股衛護自以爲眞理的意氣賭上去。我當時意氣用事到忘了阿翔的父親是政府稅務單位的高級主管，也渾然沒有想到這世界不一定是照道理、邏輯在運行的。

抓人的消息傳來，阿翔在教室裡一排排的桌子間用激亢的口氣喊著：「終於抓人了！終於抓人了！」而他的眼睛，一直盯向洩了氣癱伏著的我。

七九年的熱鬧一場，給我們一些新的訊息，到了八〇年卻又統統收回去。那時候，樹哥和茱動扶著我走到了林森北路的市場邊，我又突發奇想要去冰店吃一碗冰。吃冰時，我繼續扳著指頭計數八〇年半年來的種種挫折。那天教官把我們找去，指著每個人的鼻尖鄭重其事地詛咒：「你們這些壞分子，保證不會有一個考得上大學！」那天走重慶南路逛書店時，被誤認爲偷書賊，差點在暗巷被痛打一頓。那天看見街角的書攤被新聞局的人完完整整地翻過來，那個與我們相當熟悉的老闆，四十來歲的壯碩本省男子，被警察帶走時嚎啕地大哭出聲。那天聽說誰誰的姊姊去了美國不回來了，那女孩中美斷交時親手燒了美國大學的入學許可，結果還是走了，多麼漂亮有氣質的人哪……

那天，我確切知道Y有一個唸東海大學的男朋友。吃完冰後，我突然告訴他們有關Y的事。其實我也許不是眞的喜歡Y，也許是眞的喜歡她。不知道。我從來沒有告訴過任何人。我只知道對Y一直有一份等待的感覺，至於等什麼，我從來也不敢去追究。我想我眞的醉了。我有一抽屜給Y的信，沒有寫什麼，只是試圖捕捉那種等待的感覺，不只是對Y，好像對這整個世界都在等待，我們都在等待著些不知道會不會到來的東西。因爲從來沒有準確地捕捉到，所以就沒有寄出去過。

我想我眞的醉了。樹哥和菜動送我到Y她家巷子口。我打電話約她出來十分鐘。等待她出來的時候，我突然決定回家後要把書桌換個位置，遠離窗口。就這樣一個莫名的念頭起來，我從書包裡拿出紙筆，頂著沒有燈的電話亭涼沁玻璃，急急地寫了一首詩。「今夜我的座椅將不再當窗……」

見到Y時，我沒說什麼，只是把詩遞給她，傻笑地扶著額頭說了一句：「呵呵，我喝醉了……」

我還記得，那個少年的我一直沒有回到家。隨著詩和碎裂的世界鏡影在深夜的衢巷裡繼續迷離著……

唸你們的名字

張曉風

孩子們，這是八月初的一個早晨，美國南部的陽光舒遲而透明，流溢著一種讓久經憂的人鼻酸的、古老而寧靜的幸福。助教把期待已久的發榜名單寄來給我，一百二十個動人的名字，我逐一地唸著，忍不住覆手在你們的名字上，爲你們祈禱。

在你們未來漫長的七年醫學教育中，我只教授你們八個學分的國文，但是，我渴望能教你們如何做一個人——以及如何做一個中國人。

我願意再說一次，我愛你們的名字，名字是天下父母滿懷熱望的刻痕，在萬千中國文字中，他們所找到的是一兩個最美麗最醇厚的字眼—世間每一個名字都是一篇簡短質樸的祈禱！

「林逸文」「唐高駿」「周建聖」「陳震寰」，你們的父母多麼期望你們是一個出類拔萃的孩子。「黃自強」「林進德」「蔡篤義」，多少偉大的企盼在你們身上。「張鴻仁」「黃仁輝」「高澤仁」「陳宗仁」「葉宏仁」「洪仁政」，說明了儒家傳統的對仁德的嚮往。「邵國寧」「王爲邦」「李建忠」「陳澤浩」「江建中」，顯然你們的父母曾把你們奉獻給苦難的中國。「陳怡蒼」「蔡宗哲」「王世堯」「吳景農」「陸愷」，含蘊著一個古老圓融的理想。我常驚訝，爲什麼世人不能虔誠地細味另一個人的名字？爲什麼我們不懂得恭敬地省察自己的名字？每一個名字，不論雅俗，都自有它的哲學和愛心。如果我們能用細膩的領悟力去叫別人的名字，我們更能學會更多的互敬和互愛，這世界也可以因此而更美好。

這些日子以來，也許你們的名字已成爲鄉梓鄰里間一個幸運的符號，許多名望和財富的預期已模模糊糊和你們的名字聯在一起，許多人用欽慕的眼光望著你們，一方無形的匾已懸在你們的眉際。有一天，「醫生」會成爲你們的第二個名字，但是，孩子們，什麼是醫生呢？一件比常人更白的的衣服？一筆比平民更飽漲的月入？一個響亮榮耀的名字？孩子們，在你們不必諱言的快樂裡，抬眼望望你們未來的路吧！

什麼是醫生呢？孩子們，當一個生命在溫濕柔韌的子宮中悄然成形時，你，是第一個宣佈這神聖事實的人。當那蠻橫的小東西在嘗試轉動時，你是第一個窺得他在另一個世界的心跳的人。當他陡然衝入這世界，是你的雙掌，接住那華麗的初啼。是你，用許多防疫針把成爲正常的權利給了嬰孩。是你，辛苦地拉動一個初生兒的船縴，讓他開始自己的初航。當小孩半夜發燒的時候，你是那些母親理直氣壯打電話的對象。一個外科醫生常像周公旦一樣，是一個在簡單的午餐中三次放下食物走入急救室的人。有的時候，也許你只須爲病人擦一點紅汞水，開幾顆阿斯匹林，但也有時候，你必須爲病人切開肌膚，拉開肋骨，撥開肺葉，將手術刀伸入一顆深藏在胸腔中的鮮紅心臟。你甚至有的時候必須忍受眼看血癌吞噬一個稚嫩無辜的孩童而束手無策的裂心之痛！一個出名的學者來見你的時候，可能只是一個脾氣暴烈的牙痛病人，一個成功的企業家來見你的時候，可能只是一個氣結的哮喘病人。一個偉大的政治家來見你的時候，也許什麼都不是，他只剩下一口氣，拖著一個中風後的癱瘓的身體。掛號室裡美麗的女明星，或者只是一個長期失眠的、神經衰弱的、有自殺傾向的患者—你陪同病人經過生命中最黯淡的時刻，你傾聽垂死者最後的一聲呼吸、探察他最後的一槌心跳。你開列出生證明書，你在死亡證明書上簽字，你的臉寫在嬰兒初閃的瞳仁中，也寫在垂死者最後的凝望裡。你陪同人類走過生、老、病、死，你扮演的是一個怎樣的角色啊！一個眞正的醫生怎能不是一個聖者。

事實上，作爲一個醫者的過程正是一個苦行僧的過程，你需要學多少東西才能免於自己的無知，你要保持怎樣的榮譽心，才能免於自己的無行。你要幾度猶豫才能狠下心拿起解剖刀切開第一具屍體，你要怎樣自省，才能在千萬個病人之後免於職業性的冷靜和無情。在成爲一個醫治者之前，第一個需要被醫治的，應該是我們自己。在一切的給予之前，讓我們先成爲一個「擁有」的人。

孩子們，我願意把那則古老的「神農氏嚐百草」的神話再說一遍，淮南子上說：「古者民茹草飲水，采樹木之實，食蠃蛖之肉，時多疾病毒傷之害，於是神農氏乃始教民播種五穀，嘗百草之滋味，水泉之甘苦，令民知所辟就，當此之時，一日而遇七十毒。」

神話是無稽的，但令人動容的是一個行醫者的投入精神，以及那種人饑己饑、人溺己溺、人病己病的同情。身為一個現代的醫生當然不必一天中毒七十餘次，但貼近別人的痛苦，體諒別人的憂傷，以一個單純的「人」的身份，惻然地探看另一個身罹疾病的「人」仍是可貴的。

記得那個「懸壺濟世」的故事嗎？「市中有老翁賣藥，懸一壺於肆頭，及市罷，輒跳入壺中，市人莫之見。」——那老人的藥事實上應該解釋成他自己。孩子們，這世界上不缺乏專家，不缺乏權威，缺乏的是一個「人」，一個肯把自己給出去的人。當你幫助別人時，請記得醫藥是有時而窮的，唯有不竭的愛能照亮一個受苦的靈魂。古老的醫術中不可或缺的是「探脈」，我深信那樣簡單的動作裡蘊藏著一些神秘的象徵意義，你們能否想像一個醫生敏感的指尖去探觸另一個人的脈搏的神聖畫面。

因此，孩子們，讓我們怵然自惕，讓我們清醒地推開別人加給我們的金冠，而選擇長程的勞瘁。誠如耶穌基督所說：「非以役人，乃役於人。」真正偉人的雙手並不浸在甜美的花汁中，它們常忙於處理一片惡臭的膿血。真正偉大的雙目並不凝望最翠拔的高峰，它們低俯下來察看一個卑微的貧民的病容。孩子們，讓別人去享受「人上人」的榮耀，我只祈求你們善盡「人中人」的天職。

我曾認識一個年輕人，多年後我在紐約遇見他，他開過計程車，做過跑堂，以及各式各樣的生存手段——他仍在認真地唸社會學，而且還在辦雜誌。一別數年，恍如隔世，但最安慰的是當我們一起走過曼哈頓的市區，他無愧地說：「我還抱持著我當年那一點對人的關懷，對人的好奇，對人的執著。」其實，不管我們研究什麼，可貴的仍是那一點點對人的誠意。我們可以用讚嘆的手臂擁抱一千條銀河，但當那燦爛的光流貼近我們的前胸，其中最動人的音樂仍是一分鐘七十二響的雄渾堅實如祭鼓的人類的心跳！孩子們，儘管人類製造了許多邪惡，人體還是天眞的、可尊敬的奧秘的神蹟。生命是壯麗的、強悍的，一個醫生不是生命的創造者—他只是協助生命神蹟保持其本然秩序的人。孩子們，請記住你們每一天所遇見的不僅是人的「病」，也是病的「人」，人的眼淚，人的微笑，人的故事，孩子們，這是怎樣的權利！

作爲一個國文老師，我所能給你們的東西是有限的。幾年前，曾有一天清晨，我走進教室，那天要上的課是詩經——而我們剛得到退出聯合國的消息。我捏著那古老的詩冊，望著台下而哽咽了，眼前所能看見的是二十世紀的烽煙，而課程的進度卻要我去講三千年前的詩篇。詩中有的是水草浮動的清溪，是楊柳依依的水湄，是鹿鳴呦呦的草原，是溫柔敦厚的民情，我站在臺上，望著臺下激動的眼神，仍然決定講下去。那美麗的四言詩是一種永恆，我告訴那些孩子們有一種東西比權力更強，比疆土更強，那是文化——只要國文尚在，則中國尚在，我們仍有安身立命之所。孩子們，選擇做一個中國人吧！你們曾由於命運生爲一個中國人，但現在，讓我們以年輕的、自由的肩膀，選擇擔起這份中國人的軛。但願你所醫治的，不僅是一個病人的沉苛，而是整個中國的羸弱。但願你們所縫補的不僅是一個病人的傷痕，而是整個中國的癰疽。孩子們，所有的良醫都是良相——正如所有的良相都是良醫。

長窗外是軟碧的草茵，孩子們，你們的名字浮在我心中，我浮在四壁書香裡，書浮在黯紅色的古老圖書館裡，圖書館浮在無際的紫色花浪間，這是一個美麗的校園。客中的歲月看盡異國的異景，我所緬懷的仍是台北三月的杜鵑。孩子們，我們不曾有一個古老幽美的校園，我們的校園等待你們的足跡使之成爲美麗。

孩子們，求全能者以廣大的天心包覆你們，讓你們懂得用愛心去托住別人。求造物主給你們內在的豐富，讓你們懂得如何去分給別人。某些醫生永遠只能收到醫療費，我願你們收到的更多——我願你們收到別人的感念。

唸你們的名字，在鄉心隱動的清晨。我知道有一天將有別人唸你們的名字，在一片黃沙飛揚的鄉村小路上，或是曲折迂迴的荒山野嶺間，將有人以祈禱的嘴唇，默念你們的名字。

莊子・逍遙遊

莊子

北冥❶有魚，其名爲鯤❷。鯤之大，不知其幾千里也。化而爲鳥，其名爲鵬❸。鵬之背，不知其幾千里也；怒❹而飛，其翼若垂天❺之雲。是鳥也，海運❻則將徙於南冥。南冥者，天池❼也。

齊諧❽者，志怪❾者也。諧之言曰：「鵬之徙於南冥也，水擊三千里，摶扶搖❿而上者九萬里，去以六月息⓫者也。」野馬⓬也，塵埃也，生物之以息相吹⓭也。天之蒼蒼，其正色邪？其遠而無所至極邪？其視下

❶北冥：冥，通溟，海的意思。此指北方的大海。

❷鯤：音ㄎㄨㄣ。本指魚卵，此指大魚之名。

❸鵬：大鳥之名。

❹怒：本指奮起，此指鼓動翅膀。

❺垂天：垂，俗作陲，指邊遠之意。垂天，即指天邊。

❻海運：指海動，此是指海風起時。

❼天池：天然的大池。

❽齊諧：書名。又一說為人名。

❾志怪：志，同誌，指記載。此言記載怪異之書。

❿摶扶搖：摶當作摶，指拍擊。扶搖，指海中飆風。

⓫去以六月息：去，指離開。息，指風。此指離開北方到南海，是乘著六月的風。

也，亦若是則已矣。

且夫水之積也不厚，則其負大舟也無力。覆杯水於坳堂⑭之上，則芥爲之舟；置杯焉則膠，水淺而舟大也。風之積也不厚，則其負大翼也無力。故九萬里，則風斯在下矣，而後乃今培風⑮；背負青天而莫之夭閼⑯者，而後乃今將圖南。

蜩與學鳩⑰笑之曰：「我決⑱起而飛，槍榆枋⑲而止，時則不至而控⑳於地而已矣，奚以之九萬里而南爲？」適莽蒼者，三飡而反，腹猶果然㉑；適百里者，宿舂糧㉒；適千里者，三月聚糧。之二蟲又何知！

小知不及大知，小年不及大年。奚以知其然也？朝菌㉓不知晦朔，蟪蛄㉔不知春秋，此小年也。楚之南

⑫野馬：唐．玄應：《一切經音義》指出，馬為塺（音ㄇㄟˊ），塺為塵土。野馬即野塵，指塵土瀰漫的樣子。一般解釋為林中蒸騰的霧氣，霧氣飄浮，有如馬之奔騰稱之。

⑬生物之以息相吹：生物，意指各種有生命之物。息，指氣息。此是指活動之物，氣息相互吹拂的狀態。

⑭坳堂：坳，音ㄠ。指坑凹處。此指堂上凹處。

⑮培風：乘風。

⑯夭閼：夭，音ㄧㄠˇ。閼，音ㄜˋ。指障礙。

⑰蜩與學鳩：蜩，音ㄊㄧㄠˊ。指蟬。學鳩，指班鳩，此泛指小鳥。

⑱決：迅疾的樣子。

⑲槍榆枋：槍，指碰到。榆枋，兩種小樹名。

⑳控：本指投，此指落下。

㉑果然：吃飽的樣子。

㉒宿舂糧：宿，指一夜。舂，音ㄔㄨㄥ，指擣米。此指準備舂一夜之糧食。

㉓朝菌：朝生暮死之蟲。

㉔蟪蛄：寒蟬。春生夏死，夏生秋死，不知一年中有春有秋。

有冥靈㉕者，以五百歲爲春，五百歲爲秋；上古有大椿㉖者，以八千歲爲春，八千歲爲秋。此大年也。而彭祖乃今以久特聞，眾人匹之，不亦悲乎！

湯之問棘也是已：「窮髮㉗之北有冥海者，天池也。有魚焉，其廣數千里，未有知其修者，其名爲鯤。有鳥焉，其名爲鵬，背若泰山，翼若垂天之雲，摶扶搖羊角㉘而上者九萬里，絕雲氣，負青天，然後圖南，且適南冥也。斥鴳㉙笑之曰：『彼且奚適也？我騰躍而上，不過數仞而下，翱翔蓬蒿之間，此亦飛之至也。而彼且奚適也？』」此小大之辯也。

故夫知效一官㉚，行比一鄉㉛，德合一君㉜，而徵㉝一國者，其自視也亦若此矣。而宋榮子猶然㉞笑之。且舉世而譽之而不加勸，舉世而非之而不加沮，定乎內外之分，辯乎榮辱之境，斯已矣。彼其於世未數數然㉟也。雖然，猶有未樹也。

㉕冥靈：靈龜。

㉖大椿：傳說中的古樹名。

㉗窮髮：髮，指毛。此指不毛之地。

㉘羊角：指旋風。即其風迴旋向上如羊角狀。

㉙斥鴳：斥，指小澤。鴳，指雀。此指小雀。

㉚知效一官：才智可以勝任一官的職守。

㉛行比一鄉：行，指品行。比，指合。此指品行可以合於一鄉人的心願。

㉜德合一君：品德合於一國之君之要求。

㉝徵：取信。

㉞猶然：歡笑的樣子。

㉟數數然：數，音ㄕㄨㄛˋ。指急促的樣子。

夫列子㊱御風而行，泠然善㊲也，旬有五日而後反。彼於致福者，未數數然也。此雖免乎行，猶有所待㊳者也。若夫乘天地之正㊴，而御六氣之辯㊵，以遊无窮者，彼且惡乎待哉！故曰：至人无己，神人无功，聖人无名㊶。

堯讓天下於許由，曰：「日月出矣，而爝火㊷不息，其於光也，不亦難乎！時雨降矣，而猶浸灌㊸，其於澤也，不亦勞乎！夫子立㊹而天下治，而我猶尸㊺之，吾自視缺然㊻。請致天下。」許由曰：「子治天下，天下既已治也。而我猶代子，吾將爲名乎？名者，實之賓也，吾將爲賓乎？鷦鷯㊼巢於深林，不過一枝；偃鼠飲河，不過滿腹。歸休乎君，予无所用天下爲！庖人雖不治庖，尸祝不越樽俎而代之矣㊽。」

㊱ 列子：即列禦寇，相傳為春秋末期至戰國中期之鄭國思想家。

㊲ 泠然善也：泠，音ㄌㄧㄥˊ。泠然，指輕妙的樣子。善，指極好。

㊳ 待：憑藉、依靠。

㊴ 乘天地之正：乘，遵循。正，規律。此指遵循自然的規律。

㊵ 御六氣之辯：御，依循。六氣，陰、陽、風、雨、晦、明。辯，變化。此指依循六氣的變化。

㊶ 无己、无功、无名：无，不執著。己，我見。功，功名利祿。名，名聲。此指不執著我見、功名利祿及名聲。

㊷ 爝火：爝，音ㄐㄩㄝˊ。此指小火。

㊸ 浸灌：灌溉。

㊹ 立：同位，在位。

㊺ 尸：空佔其位，虛有其名。

㊻ 缺然：不足貌。

㊼ 鷦鷯：一種善於築巢的小鳥。

㊽ 尸祝不越樽俎而代之矣：尸祝，主祭者。此句是成語「越俎代庖」出處，即指超本份，替人工作。

肩吾問於連叔曰：「吾聞言於接輿，大而無當，往而不返。吾驚怖其言，猶河漢而無極[49]也；大有逕庭[50]，不近人情焉。」連叔曰：「其言謂何哉？」曰：「藐姑射之山[51]，有神人居焉，肌膚若冰雪，淖約[52]若處子。不食五穀，吸風飲露。乘雲氣，御飛龍，而遊乎四海之外。其神凝[53]，使物不疵癘[54]而年穀熟。吾以是狂而不信也。」連叔曰：「然，瞽者无以與乎文章之觀，聾者无以與乎鐘鼓之聲。豈唯形骸有聾盲哉？夫知亦有之。是其言也，猶時女也。之人也，之德也，將旁礴[55]萬物以爲一，世蘄乎亂[56]，孰弊弊焉[57]以天下爲事！之人也，物莫之傷，大浸稽天[58]而不溺，大旱金石流，土山焦而不熱。是其塵垢秕糠[59]，將猶陶鑄堯舜[60]者也，孰肯以物爲事！」

[49] 河漢而無極：河漢，銀河。極，邊際。此言宛如銀河般的無邊際。

[50] 大有逕庭：逕，門外的小路。庭，堂外之地。此指差異很大，為成語「大相逕庭」之出處。

[51] 藐姑射之山：藐，遙遠。姑射之山，神話傳說之山。

[52] 淖約：輕盈柔美。

[53] 神凝：精神專一。

[54] 疵癘：農作物的疾害。

[55] 旁礴：混同。

[56] 世蘄乎亂：蘄，同祈。亂，治。此言求取天下的治理。

[57] 弊弊：自我忙碌。

[58] 大浸稽天：浸，水。稽，至。此指大水滔天。

[59] 秕糠：殼皮包。喻無用之物。

[60] 陶鑄：造就。

宋人資章甫[61]而適諸越，越人斷髮文身[62]，无所用之。堯治天下之民，平海內之政。往見四子[63]藐姑射之山，汾水之陽[64]，窅然[65]喪其天下焉。

惠子謂莊子曰：「魏王貽我大瓠[66]之種，我樹之成而實五石。以盛水漿，其堅不能自舉也。剖之以爲瓢，則瓠落無所容。非不呺然[67]大也，吾爲其無用而掊[68]之。」莊子曰：「夫子固拙於用大矣。宋人有善爲不龜手[69]之藥者，世世以洴澼絖[70]爲事。客聞之，請買其方百金。聚族而謀曰：『我世世爲洴澼絖，不過數金；今一朝而鬻技百金，請與之。』客得之，以說吳王。越有難，吳王使之將。冬，與越人水戰，大敗越人，裂地而封之。能不龜手，一也；或以封，或不免於洴澼絖，則所用之異也。今子有五石之瓠，何不慮以爲大樽[71]而浮乎江湖，而憂其瓠落無所容？則夫子猶有蓬之心[72]也夫！」

---

61 資章甫：資，販賣。章甫，古代殷人的禮冠。
62 斷髮文身：斷髮，不蓄留頭髮。文身，在身體刺上花紋。
63 四子：王倪、齧缺、被衣及許由等四人，皆為有道之人。
64 汾水之陽：汾水，出於山西太原市。陽，山之南，水之北。此指汾水北面。
65 窅然：窅，ㄧㄠˇ。悵然若失的樣子。
66 貽我大瓠：貽，贈送。瓠，音ㄏㄨˋ，葫蘆。
67 呺然：呺，音ㄒㄧㄠ。此指虛大的樣子。
68 掊：音ㄆㄡˇ，打碎。
69 龜手：天氣嚴寒，手皮凍裂。
70 洴澼絖：洴，音ㄆㄧㄥˊ，指浮。澼，音ㄆㄧˋ，指在水中漂洗。絖，音ㄎㄨㄤˋ，指絲絮。此指在水中漂洗絲絮。
71 樽：本指酒樽，此指栓在身上的一種渡水工具，即腰舟。
72 有蓬之心：蓬，草名。此指心靈茅塞不通，見識淺薄。

惠子謂莊子曰：「吾有大樹，人謂之樗[73]。其大本臃腫而不中繩墨，其小枝卷曲而不中規矩。立之塗，匠者不顧。今子之言，大而無用，眾所同去也。」莊子曰：「子獨不見狸狌乎？卑身而伏，以候敖[74]者；東西跳梁，不避高下；中於機辟[75]，死於罔罟[76]。今夫斄牛[77]，其大若垂天之雲。此能為大矣，而不能執鼠。今子有大樹，患其无用，何不樹之於无何有之鄉，廣莫之野，彷徨[78]乎无為其側，逍遙[79]乎寢臥其下。不夭斤斧，物无害者，无所可用，安所困苦哉！」

[73] 樗：音ㄕㄨ，落葉喬木，木質粗劣。
[74] 敖：同遨，遨翔奔走的小動物，即雞、鼠之類。
[75] 機辟：捕獸器。
[76] 罔罟：罔，同網。罟，網之總稱。此指羅網。
[77] 斄牛：斄，音ㄌㄧˊ，牲牛。
[78] 彷徨：徘徊。
[79] 逍遙：優遊自在的樣子。

水鬼城隍

李喬

庚辰鬼月初一，任職楓城城隍剛滿三月的林淡水「地前菩薩」，竟然向幽冥地藏王菩薩堅辭職位掛冠求去……

「？……」地藏王菩薩慈眉微揚，悲眼凝睇，似有似無地一嘆。

「卑職願回東河橋下潛修大道……」林淡水悚然不敢仰視。

「汝身在『三賢』之位，掌理楓城兩界生靈，爲何求去？」

「卑職心性不宜爲官占位，此城隍重任實……實……」祂實無辭以對。

「再去東河橋下當水鬼？哈哈！」地藏王笑聲十分奇異：「水鬼是要找替身求往生的，祢又要去破壞千百年例規嗎？」

「卑職……卑職只是……只是潛修大道，只是相機救助生靈……固無論人類或禽畜……」

「……此舉乃我冥界未有之事體，咱家待與酆都大帝參詳後方能定奪決策……汝暫且在位盡職就是！」

城隍爺林淡水再拜而退，祂明確感受到百十雙眼睛緊緊盯住自己的背後；祂遂疾步離開，回到任所大殿……

林淡水的修行果位是「地前」菩薩，所謂「地前」是：修菩薩大道的佛子，在完成一大阿僧祇劫的修行，到達「初地」之前，是「凡夫的菩薩」。至於「地前」之後，也就是「初地」之後，再修十地而滿二大阿僧祇劫的修行，那就臻至佛果的至高境界。

所以林淡水算是菩薩預備班的學員，這個果位正好擔任府或縣的城隍老爺。目前祂在苦修十住十行十迴向——三賢位的高段位之上。

可是擔任城隍三個月以來，祂已然心浮氣躁，道心搖晃大有不勝艱辛之感。在三個月之前，祂專任幽冥地府「查察司」之職三載；在此之前卻是一名「水鬼」……

在小千世界地球之東，南瞻部洲東南一帶，以及海東臺灣地帶，在百年前出現了一位救人的水鬼，那就是林淡水氏。

依冥律的「不成文」法，凡自盡而歸陰的魂主，在幽冥三年間，歷十殿閻王的深究一生行誼，完成算帳還債或賞或罰之後，不能像其他老死或夭亡的魂主再入輪迴經歷生界；祂必須回到自盡之處，等待人間再出現同樣的死者，也就是找到「替身」之後，才能往生人間。這個曲折行程，幽冥間神祕管道的傳遞，人間早就知悉……

百餘年前，林淡水在人間是一個年輕的牛販，算起來林家來臺，淡水是「二世」。換言之，他是在臺灣出生的第一代子孫。

林父兄弟四人，來臺之後因爲是赤手空拳，卻有一身耕稼本事，所以就如其他多數來臺人士一樣，找一家富農寄身擔任長工維生。

淡水排行第三是屘子，在他十八歲那年，林父兄弟四人同時租田佃耕，由永無出息的長工進步到佃農的行業，可以說是刻苦有成了。

因爲兄弟四人協力打拚並未分家，所以兩年後就積蓄了些許家貲。這時林家長兄提議購入幾甲荒地山園開墾，林父卻主張在後輩子侄中挑選一、二人試試從商。

林淡水從小聰明過人，嘴甜舌滑，深得叔伯長輩喜愛。在他知悉父親意向時，極力要求讓他一試身手。

在當時所謂「從商」，在欠缺龐大資金的人來說，只是指走方販布，挑擔走賣常用家具，跑單幫買賣山產番產，以及「牛販」幾種而已。

其中最令人羨慕的是「牛販」，因為牛販可以行走整個臺灣島的北、中、南部，看盡各地繁華光景，而且獲利豐厚。不過，「牛販」不是一種簡單行業，它需要絕對高明的識牛眼光，以及涉水跋山的壯旺體力。理由很簡單：牛隻的健壯病弱、年齡習性的判斷是專門技術，而利潤厚薄全看南北距離遠近來決定的；一趟「趕牛」，短則半月多則五十、六十來日，其間為了「安全」，幾乎都是草行露宿的，烈日當空，牛販要陪著牛隻消受，苦雨寒霜，也得跟衣食牛爺同享共嚐。

另外，最讓人提心弔膽的還有二樁：一是牛隻萬一遇上時疫暴斃，那就血本泡湯，假如牛隻交給買主三個月中死亡（外傷除外），牛販得理賠半數，這是本行規矩，二是「趕牛」途中，牛隻走失，或不幸遇上牛強盜，那就立即傾家蕩產了。

淡水得以實行願望是他另有淵源：他的三母舅正是臺灣中部有名的牛販，年紀大了，正有歇業的意思。淡水外甥有此「雄心」豈非可喜？如此這般，淡水成了三舅的販牛徒弟，跟隨一年左右，憑他的聰明專注，加上三舅悉力栽培，很快地他就可以獨立作業了。又經一年的歷練，他竟然成為附近幾個村堡最大的牛販。當然獲利之豐，已足足可以仰事父母俯蓄妻子。

二十三歲這年，是他出道滿兩年的時候，在溽暑時日本地第一季稻子收成，正準備夏耕的時候，各農家的耕牛突然紛紛倒斃。原因不明，事態卻十分清楚，第二季作將受重大影響。

這個災難，卻是牛販發財的絕佳機會。

年輕牛販林淡水已經訂婚，打算入冬結婚。他一看大好機會來臨，決定好好撈上一筆。他甚至於私自盤算著：這回賺一大筆之後，或許可以在東河橋頭石牆村開一間雜貨鋪子，擁著新婚妻子「坐著賺錢」豈不爽快？

心意既決，他便決意全力以赴。

平常，選購一、二隻耕牛，他是到東勢牛墟選購的。「東勢牛」身材較小，但四隻粗短肌肉結實，售價比較便宜，一般小農家視爲好貨色。

這回牛瘟流行，「東勢牛」很快就缺貨了，牛販們不得不趕到全臺最大的牛墟——嘉義去發財啦。林淡水想：需求量大，後市價格必然高昂，而且可能缺貨，或者最後羸牛病牛出檻，那才冤枉。這樣一想，他決定孤注一擲，一批就選購十隻耕牛趕回來，預計做三次，賺的錢的就「夠」啦。

一次趕十隻耕牛，必須要有三個助手幫忙。這一點不成問題：那些堂兄弟平時看他風風光光地來去自如，早就直吞口水；現在要他們同行，而且許以優厚工資，豈不老少皆大歡喜？

至於資金方面，第一批十隻勉強湊合當不成問題；因爲賣出十隻牛不可能隻隻付清，必有賒帳，第二批就得向叔伯父們調現了。好在這幾年賺錢有目共睹，而且打算付給動人的高利，這樣一盤算，看樣子是順風揚帆，只待他起槳下水了。

一切果然全在計算之內。兩位堂兄弟，外加一位小玩伴阿良，四人組成的趕牛夥伴，在預定期間內趕回十隻粗壯健旺的水牛——耕牛，並且在三天之內全數被人牽光。

他們帶著收回的部分本利，以及向叔伯親戚借貸的款子，晝夜不停趕到嘉義牛墟。這回買下十二隻——依上次的經驗，每人控三隻牛的行止，不如放長繩以「群行」的方式集體管趕更爲方便；既然這樣，四人管趕十二隻當不成問題。

又是很順利的行程，比預料的時日提早一日半趕到本縣地界。

這天牛群過了臺中，越過豐原后里平原，到了三叉「火焰山」山麓時，天時驟然暗了下來。回頭一看，西方海天交接處卻流動一片血紅的殘霞。

「會是風颱喔？」阿良大驚小怪。

「嗯……」他心頭有一絲不安。因爲這異象確實像是暴風雨的徵兆。

「強趕，明早就到達莊裡啦！」

「不好。萬一深更半夜風大雨急，牛群一驚走散，仰般去尋？」

商量結果，拿定主意就在「火焰山」麓找一朝南的凹窩宿一夜避避風雨。淡水有些心慌，不過想想四個大漢守護著，倒也不必太過擔心才是。

入夜之後，暴風狂雨來襲，在午夜之前人畜被捲入昏天黑地之中……

他們把十二隻牛的繩索結連在一起，又拿一條巨繩套牢每隻牛的脖子，然後串連互牽，讓牛隻不致單獨脫隊，或哪隻蠻牛發性，戳傷同伴。

「不會有人趁風雨來偷牛吧？」堂弟十分害怕。

「烏天暗地，伸手不見五指，風會抬走人，誰敢出來送死？」淡水老神在在地。

「就怕山水太大，突然湧下來，人畜都去見海龍王囉。」阿良的嗓音抖得很兇。

「屙你個痢肚！有屎唔會屙！」淡水大怒而斥。

實際上淡水的心境何嘗輕鬆？萬一……萬一……血本無存還要背上大筆債，把家當連同姐妹賣了也不夠賠哪，那時只有一條路可走了……

「……」無人再開口。風雨掩蓋了一切。

好漫長的漆黑之夜，呼嘯的風雨似乎把日頭給呑噬了，所謂「人間」也消失在幽忽緲冥之中。很奇怪？怎麼該天亮的時候了還是一片漆黑呢？是的，每個成年的莊稼心頭都有一隻奇妙的「鐘」，無論晴雨風霜它準時會促人睡醒的；是十足日出辰時了吧？就是天地依然一片昏黑……

全身早就濕漉漉而水柱直流橫流了，腳掌上的水漿似乎不斷往腳小肚漫浸……

「這裡，山麓坡地哩，怎麼會是積水上升？」好奇怪。

——嗚！哞！哞！牛群騷動起來，不安地哀吼起來。

牛是笨拙的生物，可是牠有屬於牠所專有的超靈的感應能力；難道牠們感應到什麼最大的危機嗎？

「哇？啊……」幾個人同時驚叫起來。

因爲腳底下怪怪的；腳底下好像踩著什麼滑溜溜的東西；不，是腳底下的「地面」在挪動！

——嗬……呼……嘶……

同時奇異的低沉聲響從四面八方升起，「壓迫」過來。是的，那是帶著萬鈞重壓的聲音猛然壓迫過來，那是絕對無法抗拒的壓力，那是從未承受的異樣感覺……而腳下的大地移動的速度加快了。

「阿母哀喲！」幾個人又同時尖聲驚叫。

「阿母哀」是客家話中斷魂前的共同語言，他們不知道發生了什麼巨變，但大家都了解這是要命的時刻。

風雨仍然很大，一團朦朧的亮光卻已然在斜斜上空升起。

他們驚魂已定，四周景物大致可以看清楚了；淡水第一個清醒的意識是：那些哞哞哀叫怎麼被轟轟浪濤聲淹沒了？那——

「牛！牛呢！牛隻呢？」

「啊！牛……」

是的，眼前已然不見一隻牛的影擀。

已經很完全可以看清周遭景物了，雖然昨夜在入晚時刻並未看清楚置身的山麓情況，但現在站著的地方離開山麓至少有百丈之上。

「啊！『行山』！是行山哪！」阿良開口說。

實際每個人心裡都了解；這回是遇上傳說的「行山」了。由於大量雨水的滲透，欠缺根群堅強植物的丘陵坡地；如果底層又是具有斜度的岩塊，在「地層水」匯集過多的情況下，終於整塊丘陵坡地滑動了，滑移到比較平坦的地方。這就是「行山」的地變眞相。

這裡是「火焰山」山麓的荒涼坡地，「行山」來得很平常，不幸的是這群借款購進的十二隻水牛走失了。

笨牛，被人類穿鼻掛上繩索，可是大難來臨時，本能驅使牠掙扎逃命，迅速的脫繮而去。

不幸的是，這塊「坡地」竟然「行山」到臨近巨浪滔滔的河畔（大安溪）五丈之內的地方。如果再往前「行」三、五丈，四個莊稼漢全會成爲水鬼；而現在十二隻水牛失了蹤跡。事態至爲顯然，十二隻水牛被洪水呑噬了。

經過幾個小時的冒死尋找，他們在數十丈外的下游找到一隻走失的牛，可是卻是一隻溺死的牛──這隻牛未能掙斷繩索，而繩索纏在一根漂流木的一端；這一端插入漲起的河畔石縫裡。他們找到時，這隻可憐的牛頭部插沒水草中，龐大的身驅浮蕩在小小灣凹上。

年輕的林淡水損失全部牛隻，年來所賺的銀子；另外擔負了叔伯給予的借款，連年底結婚的計畫一起幻滅。

心理上，他承受不了這種沉重打擊，而事實上，他負擔不了這麼多債款。然而他無所選擇，他無處可逃。

「好不甘心！」

「我好恨！」

「天公太狠了！什麼天公？什麼神佛？什麼……」

最後他把所有怒火怨恨全指向「命運」的不公上，而命運是神佛所玩的把戲。至此，他的恨又全凝結在主宰命運的神佛身上。他想：

我什麼都沒有了，又能對我怎麼樣？我就不敬畏祂，不拜祭祂，祂能怎麼樣？

他驀然發覺，失去了一切，就是最自在自由的時候，因爲這時什麼都不怕，都不必理會，不必牽掛，不必負責……

可是，一旦冷靜下來面對生活現實，他又頓然心肺俱裂無法承受。

在模糊的意念中，「一了百了」的聲響開始若隱若現，可是心中另一個意念也一直抗拒著它。

首先他想出最簡單的方法是逃。逃債，逃出這個傷心的地方，可是父母呢？林家一族人如何抬起頭來呢？何況父親的爲人他最明白，他會毀家蕩產還清這筆債的。

「那就落草當強盜！」

可是他不能。他怕看到流血，更不會去殺傷人；他知道自己沒有這個「氣魄」。

這樣想下去，那股怨恨與懼怕就更堅韌更強大，而也更集中在神佛主宰上啦。

我要怎麼辦？我要怎麼向神佛討回公道——我們林家代代清白，我林淡水二十幾年生命清清白白，爲何讓我承受這個罪？說前生？呸！前生？前生和我這個林淡水何關？他心裡大聲叫喊，他希望神佛能夠聽到他的憤怒怨恨。

可是蒼穹漠漠，神佛默默。他欲哭無淚。

「我怎麼樣才能找神佛討公道去？」他想。

喔，是的，他知道。唔，唯有那樣才是一了百了。才能面對神佛，向祂們算帳……

他的念頭終於歸集到起初的原點上——死！

死的決定，乾淨而簡明。難的是決定的過程。現在過程已了，他很快就實行了。

他在這天傍晚仔細地沐浴淨身一番。晚餐推說肚子不適，不吃不喝就上床假寐。

他想到訂了婚的那個女人，可是他立刻擺脫這一線思緒，可是擺脫不了。他趁家人不注意，去找阿良。

他要求阿良告訴伊；他心裡早沒伊了，要伊死心。至於手續上，他早已留下文字證物，將來雙方家長公開一聲就是了。

「淡水哥，你要去哪裡？」阿良大概有些感覺吧。

「遠走他鄉！很遠很遠……」

「逃……逃債？」阿良傻笑。

「嗯。不要跟人說喔！我走了。」

「喂！到底逃到那裡？同我講啊！」

「唔……這樣好了：明早，日頭出時，你到東河橋上等我，我同你講詳細行程──總要有一個朋友知曉，對不對？」

「現在講不好嗎？」

「不好，怕你……我還未走出莊子你就到處……」

他回到家裡，全家大小已入睡。到了近午夜時分，他悄悄起來給「阿公婆」──祖宗神牌插上三炷香，跪拜之後躡足輕步，推開籬笆門，朝東河橋走去。

已是秋殘冬初的季節，中臺灣的夜空深藍潔淨，點點星光，分外明亮。

半個小時後來到東河橋上，橋下的流水，在寂靜午夜，那「嗬嗬」渾厚聲響分外動人。

在橋的那一邊就是迅速成長中的市鎮了。原先是打算婚後就在……哼！想這幹什麼。他提醒自己。

心中那股濃烈堅硬的憤恨呢？奇怪？竟然感覺中是那樣遙遠而淡輕了。

可是，他並未再萌生一絲活下去的意志。

他似乎未作任何遲疑的停滯──站在橋中心略一抬頭瞥一眼秋夜的星空，就輕輕一躍跳入預計最深的河水之中……

「波波……波……」

一陣輕響，幾個大大的波紋，然後幾個小小的漣漪，之後河水依然悠悠流去……

林淡水一縷年輕的魂魄，悠悠忽忽脫離肉身，然後杳然奔向黃塵滾滾的西行大道。但見路人個個低首疾走，或悶哼或呻吟或幽泣，眞是一段悽慘行程。

路面是黑的，空中盡是黃沙，不見日頭月光，但有一團黃灰光暈自路的那一段輻射而來。

「這，是黃泉路了……」他想。他靈臺一片清明不爽。

我是投身東河橋下而亡了。

我是多麼怨恨；我不甘心，我不該受到這種橫禍，因爲我二十一載生命是多麼簡單乾淨……

這是他心中唯一的意念，就憑這縷明確堅韌之念，使他毫不遲疑毫不惶惑地奔向幽冥地府。

就像人間傳說那樣，他在離開陽世的第七日，來到專司人間壽夭生死冊籍的「一殿秦廣王」前。

他是懷著不平之怨恨「自動」來幽冥地府的，他的目的是質問「有權」的神佛；何以如此不平待他？他的怨恨之氣難消，他要討回公道。

意料之外的是，他經由「孽鏡臺」的清查之後，立刻送解到大海之底正南方沃燋石下的二殿——楚江王管轄的「活大地獄」……

——原來林淡水衪對於生命界的種種，存在界的律法起始存著一個重大誤解。

實際上，生命起始的動因乃在自然的緣生，既非意志的結果，也非神佛所算計；生命現象在無始的因緣中「自然」呈現，那是神佛也無能爲力的。

因而，每一個生命的主體「我」就要負起生命之初因與終果的全部責任；凡世人間因果報應的機械化說法，那只是方便法門，用以力勸世人去惡行善罷了。

生命，不幸的事實是這樣，所以不幸的生命是如此地無奈。不幸而無奈的生命，其「責任」既然全在主體「我」自己，不幸與無奈的解脫也唯主體「我」自己所能了；生命不幸與無奈的解脫，那就是呈現生命莊嚴的時刻……

這是林淡水的冤魂怒魄經歷三載「活大地獄」熬煉後的悟解，至於剛到「焦渴小地獄」、「灰河小地獄」時，他卻是恨上加恨怨上加怨。

因爲「吉兇鬼判官」給祂的判詞是：輕生求死是大罪一樁。生命非來自生身男女（父母），亦非神佛「給予」，更非生命形成後的主體我的意念，那麼生命由自然而「來」就應自然而「去」；輕生尋死既違自然大道（神佛都在大道之內），那就顯然是大大有罪了！

「是這樣的嗎？」他陷入絕對的絕望之中。

是不是這樣？唯有在痛苦中得到解答，吉兇鬼判官這樣提醒後，於是祂在燋渴地獄中，每日戌亥兩個時辰（即午後七時至十一時），祂會一瞬之間時空逆轉——回到故鄉東河橋上，然後接受投水前內心煎熬之苦，驚覺中一躍而下冷涼逼體抑悶窒息掙扎之苦，一直到生機乍絕，肉體拋棄魂魄出竅的生命至痛……

「記住：天地生人，父母養身，社會容受，萬物供奉；汝一無回報，竟敢輕生赴死，那有如此便宜事體！」這是每日戌亥二時痛絕苦絕之後必須再領受的訓斥。

這個訓斥，經久之後卻成爲心靈深處的另一種至痛至苦。

祂，終於知道後悔了。出自生命深處的悔懺，使祂的生命本身逐漸萌生一些化變。

既然深知懺悔，三十五日燋渴地獄，三十五日灰河地獄——受滿七十日煉獄之苦後，依律例可以回到投水輕生的東河橋畔，等待下一個尋死替身，然後送到十殿轉輪王轄下的「轉劫所」，跳入輪迴槽發往四大部洲轉生……

可是，不幸的是，祂那訂婚女子楊氏竟在痛苦羞愧不能自拔之下投繯吊頸而亡。接著生母在祂受滿七十日煉獄的時候，又因哀痛逾恒而死……

凡此這些，點點滴滴都要祂負起一份果報罪責。於是祂再受三年各煉獄的煎熬，這才准予尋找替身之行。

然而，這時祂卻堅決要求永留地獄，不願轉生人間。祂的理由是：人間生命太苦，如果可能，他不願再試。其次：自感罪孽重大，祂要永留地府，為亡母及楊家女恒誦懺經，增伊福緣。可是司命判官不許。祂說：

「生命的往來，豈是由得汝的？就是我幽冥地府也不得不依天地律法行事者！」

「……」祂清淚直流，哀哉心酸。

「本司已知汝心障早解，一片祥和，往生自是幸福所在，還遲疑作啥？」

「罪魂只是……只是……」

「汝好好體會我言：要知道，生命少不得貪戀，而生命必在貪戀中提升；人間固然是苦海，苦海畢竟有岸，生命必須在苦海中完成！」

「喔……」祂深深品味司命判官的訓誨：生命在貪戀中提升，生命在苦海中完成……。

「另者：汝母雖因痛心汝而歸陰，倒也在大限之內；汝未婚妻楊氏純潔心魂堅貞情愛，此番夭亡，卻也不受貧困之苦，得以往生福德富貴之家，汝不用再自責可也。」

「罪魂願，願意終久勸誦寶卷眞經，替有情世人祈福求恩……。」

「那也去當水鬼再說啦！」司命判官有些厭煩，可是不得不還是提醒祂：「當水鬼找替身，然後轉劫往生。這也是律法。汝不能魅惑凡人投水替身，但也不宜阻止想死者遂願……一切都在自然之中，汝可要謹記在心！」

「……遵命……」祂再拜叩首而退。

於是祂，林淡水在人間的某月某日逕赴前生東河橋下當起水鬼來。

這是在幽冥三年之後，在陽間人世卻是幾個世代的日月。生父叔伯都已壽終，那些兄弟也大都老死或老態龍鍾行動困難；只有少年玩伴阿良還健壯如牛，看來還可享有好幾年陽壽呢！

奇妙的是，當年那位楊氏的妹子，現在是阿良的老妻，兩個老夫婦雖然經常拌嘴吵架，卻是「床頭吵，床尾和」恩愛得很。

「那位……那位不知往生何地，如何一種生活呢？」這是心底唯一偶爾浮現的「塵念」了。

啊！人世變幻眞是滄海桑田，荒涼山村，不過是幾十年光陰吧？已然紅瓦換竹屋，四輪有軌怪車（臺車）代牛車載人送貨了！

然而，大地依然是大地，田園依然美麗，麻竹橋改成水泥柱木板面的「東河橋」，比以前更寬敞了。橋下綠水清淨，天光人影清晰可見；三、兩隻白鵝戲水，還有少婦少女在午間匆匆趕來洗衣浣物。

「爲什麼趕在午間洗衣物呢？」這是很奇怪。

原委很快就揭曉了。祂進入阿良的夢中，兩人把酒話舊，然後由阿良口中知道，這裡什麼都好，只是東河橋下很「不乾淨」。

「明明十分乾淨嘛！」祂想不透。

「不乾淨就是……就是有水鬼啦！」

「喔！唔……阿良，以後，以後不會有水鬼誘人投河了！」祂嚴肅地說。

「哪裡，近年來，每三年一定有一個……記得那淡水哥那年尋死以後……」阿良雙眼猛地一瞪，好像這才猛然醒悟：「咦？你？你不是淡水哥嗎？你？你……」

「我，我回來……」祂的話還未說完……

「哇！救……命……哇！」阿良老傢伙像三歲小孩被自己的影子嚇壞那樣狂叫著，接著就醒過來了。人醒過來了，祂跟他的連繫不得不中斷啦。

以後，每當祂想進入阿良的夢中，阿良都大叫而醒。這樣一來使祂很懊惱，卻也無法可施。

祂試著設法進入那幾位老哥哥夢中，結果大都也是把人家嚇醒過來。原來阿良這個傢伙把祂入夢的事一五一十傳遍給鄰里朋友了。

「好傢伙……」祂眞是又惱又好笑，且也感到奇異的寂寞。

人，爲什麼一隔幽明就視若蛇蠍呢？

陰間，雖然是受苦的世界，可是卻多麼單純眞實啊！祂喟嘆著。祂有些惱火了，祂找到適切的時機——日頭被烏雲遮蔽的時刻，或明亮的月夜，祂會故意在阿良或老哥哥眼前「現身」。那當然是他們落單一人的時候。

祂儘量做得自然，「清淡」。務求不致嚇著他們。可是祂完全失敗，每一次，他們都嚇得屎尿直流，甚至於口吐白沫，倒地昏倒。

不但這樣，村子裡開始流傳難聽的「鬼話」：林淡水陰魂不散，回來作祟了！

「唉！眞是從何說起？」

這是水鬼林淡水的苦惱。

祂是被隔絕的，祂沒有辯白的機會，人，總是不給對方機會的。

祂不再出現在故人夢中，不跟任何「生人」打交道，除了晨昏禮佛勸誦寶經之外，祂負起本地「護法」的任務來，嚇得陽間的宵小惡棍匿跡，驅走附近或過境的野鬼魍魎；另外也幫著人們看守牛羊雞鴨，招來魚蝦蟹鱉。這樣一來，東河橋附近的居民便更加吉祥和諧安居納福了。

祂自然也很愉快，不過卻難免有些悵惘，因爲村民的說法是：

「淡水當水鬼期滿，一定轉世投生去了，所以東河橋下『清淨』下來……」

「我們的河頭伯公有靈有顯哩！年節，大家牲儀可要豐厚一點！」

唉！這又從何說起？每一個適於投水的河道附近，都有等待替身的水鬼在等候獵物哪！我林淡水轉世投生了，不是另有水鬼來接替嗎？連這個道理都想不通嗎？

至於本地的「河頭伯公」，實際上是本莊的轄區福德神的「臨檢站」而已，並非常設專責的名銜。更可笑的是，本莊福德神已出缺多時，原因是這位伯公接受信眾的「許願」：如果保佑他的寶貝兒子做生意賺大錢，到時候報以「豬頭一副」的供奉。生意是賺了，卻是非法手段得來；伯公伯婆消受了一副「豬頭」，案子發了，祂這位正神居然「不小心」犯了「期約賄賂」的不名譽罪名……

「我這水鬼兼差，管了福德的事務……」祂不覺苦笑搖頭。

這種出入陰陽兩界的時間，確是匆匆若矢，不知不覺間，三年期滿。由「東嶽大帝」傳來的旨令：要祂速即找到替身，然後轉劫投胎去，可是祂始終做不到。

第一次機會，是一個失足跌落橋下的學生，看他驚慌絕望的掙扎。想想他長遠的陽壽前程，祂不但不在緊要關頭給灌入幾口水，還揪住他的領口往岸邊一推——硬把他救上岸來……

第二回是決意自殺的少婦，伊滿臉眼淚鼻涕，神智已然十分狂亂。令祂膽顫神搖的是，伊把二、三歲一對子女用背帶綁在橋端榕樹下，伊是心神槁了，可是一直唸著子女的名字，在臨跳的一瞬，還拿模糊淚眼盯著孩子……祂呼一聲跳上橋面，就在伊騰身而起同時，往伊臉頰連揮兩記耳光。伊不但未能跳下，且跌倒在橋面上暈了過去，這時兩個孩子尖叫號哭，很快就驚動了路人。

婦人獲救了，三天後夫家備牲儀來拜謝「河頭伯公」，祂查清自殺婦人冤屈後，一時「童心」萌起，居然「進入」這個男人內裡——把他當作「生乩童」（臨時）狂跳起來，在眾人跪倒叩拜之際，讓生乩童開口痛責「自己」，然後揮掌把「自己」痛打一番……

「哈哈……哈……」祂，大為高興，不覺哈哈大笑。

這件事轟動附近鄉莊，「河頭伯公」更是香火鼎盛啦，不過祂也受了冥府一次不重不輕的警告。

第三次是一群流氓把一個勒索的對象推下橋去，祂義憤塡膺，忍不住出手救了此人。

第四次是一個特權人物，利用特殊關係，居然把人家的土地權狀掉包，被害人的土地在路邊，是商業用地，這個人的土地是已經捐出去當警局和廟宇用地的部分；這個人竟然能夠在地籍資料上做手腳，然後告發被告人侵占……被告人一夕之間連自己住家的土地也變成對方所有，而自己權狀所載的是公共設施用地！他冤屈難申，越想越恨，認爲人間黑暗而且神佛也不靈，他懷著恨天怨地之心，強迫老婆和二子一女同歸於盡。他站在橋上，聲聲要到陰間找「玉皇大帝」評理……

水鬼林淡水，毫不思索就阻止了這件悲劇，祂讓這個被恨怒之火燃燒的男人，每次要躍入時雙膝都使不上力……

「天哪！不讓我死安哉？我死都不自由嗎？」

「當然不能隨意毀棄生命！」祂正告他。

「這暗無天日的人間，我不想活了，不行嗎？」

「不行！」祂提醒：「汝，更無權利，強要妻子兒女也陪汝送死！」

「那……我自己去死，總可以吧？」

「不可以！」祂想起當年自己所受的訓斥：「生命，不是汝要來的，所以汝也不得隨意拋棄！」

「何況，汝的老婆、子女的生活，汝有責任……」

「？……」此人愣住了。

「可是人間……老天，無眼嘛！神佛，無靈嘛！」

「那些，汝憑什麼問？汝，只負責自己的事，不論什麼命運！」祂只好解說一番：「老天、神佛，有祂的角度，有祂們的時間表，汝怎麼知道？也不必知道！生命的事，不能依賴老天、神佛……汝老婆凍病了，孩子流鼻涕也病了，去，負起丈夫、父親的責任來！」

「可是……我空無一物啦！」

「還有天空，有空氣，有日頭，有清泉；人決心活下去，就能活下去！」

事後，想起來祂就想笑，不是嗎？「水鬼」僭越管起福德伯公的職務來，又還兼做勸善菩薩的差，這算什麼呢？

最後一起是一場鬧劇：起初一群學生在福德廟背後偷抽菸。唉！小鬼頭就抽菸，這什麼世界嘛！咦？不對，他們不是抽菸，他們把黏巴巴的軟膠，放進透明的袋子裡搓，搓一陣之後湊近鼻子猛吸。這一吸人便暈陶陶好像喝醉酒似的，接著便狂吼狂叫亂扭亂蹦起來，看樣子是瘋了。

「走！我們到橋上去，去跳！」有人提議。

「跳舞？好呀！走！去橋上跳舞！」大家附和。

「呸！去跳河！去跳河自殺怎麼樣？敢不敢？」

「當然敢！自殺有啥了不起？我常常自殺哩！」

是的，這群小孩確實是瘋了，他們真的搖搖晃晃往橋上走去。

糟啦！橋下來了兩個「同行」——水鬼……

顯然，祂們是來「搶」替身的！林淡水祂略一考慮就現身阻止祂們。

「喂！各位：這東河橋下，是我的地段，請莫破了規矩如何？」祂冷冷說。

「呵！好大哥，你是老大主人，我們知道，會尊重你，先選一個。小弟等撿剩下的可好？」

「今晚，有好幾個落水呢！」另一個說。

「不行，你們不能越界。」

「可是，好幾個嘛！行個方便有何不可？」

「我說不行！我今晚也不要！」祂表明這一點。
「不要？」兩個水鬼兄弟大吃一驚。
「你們看：十五、六歲年紀，怎麼忍心就奪他小命！」
「他們是自己送死呀！命該如此呀！」
「喲！你這水鬼還眞不找替身，不想轉世囉？」
祂知道無法跟祂們說清楚什麼的。時間已然來臨，這群小瘋子果然騰身就要跳。祂一急，竟然「現身」出來，以全身濕淋淋的，長髮赤足蒼白凸眼之姿出現在他們眼前。
「哇！阿母哀喲」這一驚非同小可。
「咦？你……你這樣……犯了冥律啦！」水鬼們同樣十分吃驚。
鬧劇結束，吸毒膠的一群孩子保全了性命，祂卻被控告以破壞冥律之罪名。
祂坦然認罪，但是祂要求服刑之後仍然回到東河橋下當那「萬年水鬼」。祂終於如願以償。
祂的異行傳遍冥界，地藏王菩薩受佛祖之託監臨世間時，發大願入地獄渡救億萬亡魂罪鬼。祂那如海浩蕩眞覺界地裡，某一時刻瞥見林淡水的一星光芒。祂微一凝神便微笑了，祂在地府諸王之前召見了林淡水。
「汝一水鬼孽魂，竟甘受冰寒水獄而作菩薩之行，的確不凡。」
「啊……罪魂不敢……。」
「可是，冥王至尊……」閻羅王另有見地：「水鬼覓替身，轉世有常規，此水鬼……。」
「善哉！善哉！十方三界，妙法唯一；妙法在於無法，存有一切，唯慈悲而已。林淡水一念慈悲法隨行生，行中大道，常規在焉……。」
林淡水違叛冥律之罪一筆勾銷，再三載之後，地府冥王親批林氏爲城隍之職。
然而城隍之職卻令祂十分痛苦。

第一樁是日夜消受大量的牲儀葷供。祂委實想不透，何以世人總以殺生，血淋淋的畜體供奉神祇？以剝奪生命的方式賄賂神仙，豈能要求什麼？增加罪過而已啊！

第二樁是漫天昏地的祈願，而祈願的方法是許以約期的賄賂。想來世人眞是無知得愚蠢十分哩！世人以爲陽間上下親疏殺人越貨，一切一切都可以賄賂解決，這就認定幽冥地府也是一樣烏煙瘴氣！眞是豈有此理。當然，也有些享受「福報」太久，逐漸「下移」的神仙不知不覺接受期約賄賂的，不過畢竟是少數，而且是一種近似人間的「行屍走肉」的存在而已。

第三樁情況最難承受了，那就是世人動不動就來城隍爺前發重誓重咒；不但以一己生命魂靈賭注，還往往把妻兒一家人，甚至一族人也陪著賠上去。尤其選舉期間，動輒斬雞頭發絕誓，更是令殿宇震動，座位搖晃不已。要知道，城隍的重要任務之一是「執行世人的誓言」，那至毒至絕的咒誓，要如何徹底執行？不執行又是一等大罪啊。

祂曾經想振作一番，尋找適切時機，提出改革大計，可是老舊規範太多，守舊勢力太大。恍然，祂有不知身在何界何地之感慨。

「城隍難爲，不如歸去……」此念一萌，祂便誠懇而明白地表達出來。

還是當個不害人的水鬼好，這是祂的結論，奇妙的，這結論，好像自始就判定了的。

地藏王菩薩又一次微笑了，祂阻止了眾神鬼的反對，讓林淡水再去當東河橋下的水鬼。

至此，「城隍水鬼」便走入歷史，又在歷史中活躍著，過去，現在，還有未來。

穿母親買的衣服

鍾文音

法國作家莒哈絲在她最著名的《情人》一書裡提到十五歲半那天，她穿著金絲高跟鞋，戴著男用軟呢帽子，穿著母親給她的那件陳舊得幾近半透明的黃絲絹洋裝。洋裝無袖、胸口開得很低，她腰上繫著皮帶。帶著衝突美學的少女莒哈絲，帶著成人與孩子的混血模樣，女兒穿著母親的洋裝，性感而魅惑，在泛著金光閃閃的湄公河上，女孩倚著欄杆，吸引著從高級轎車走下來的中國情人。

一位純粹爲了絕望而絕望的母親，在幸福時也有絕望升起的母親，這種奇異的精神風姿形塑了莒哈絲的寫作特質，但莒哈絲的絕望是一種抵抗似的強韌，並非眞正的絕望，是一種反作用力的上升，因此她說即使絕望也要寫作，即使她死了，也仍然在寫作。

我年輕時迷上莒哈絲，我整個人被她穿著母親舊洋裝的模樣與至死不渝的寫作燃燒著，十分地吸引著年輕時無所事事的我。而她的母親也幾乎是我的母親再版，奮鬥一生但常感絕望，眼底經常流露無限的疲憊與突然湧上的暴怒。

我有時候沒有離開她，坐在旁邊看著樹葉和光影遊戲，等她醒來。

童年過年時，因過年氣氛的影響，她覺得應該要帶我出去遊晃一下，或者應該是禁不住我的要求，她會帶我去臺北新公園，但我印象最深的卻是她帶我進入公園之後，就會開始尋找椅子，然後跟我說妳自己到處走走吧，接著她就將自己的皮包往懷裡揣著，然後竟在冬陽下打起盹來。

我有時候沒有離開她，坐在旁邊看著樹葉和光影遊戲，等她醒來，有時候會轉去公園出入口，玩著旋轉門，有時候會把腳跨在鐵條，擋住別人要過的路。或者坐在公園掉漆的模型動物身上，或者看人餵食池魚。有一次跑出去買冰淇淋吃，才吃一口就被一個大人撞到而掉在地上，看著冰淇淋在陽光下融化後，我才跑回母親身邊，彷彿在等著證據的消失。如果跟母親說，她可能會問我是哪個人撞倒的？妳怎麼沒找他賠？母親很容易將發生的一切換算成數字。

往往我因疼惜母親而想靠近她，但卻又常被她的脾氣給推得遠遠的。我們之間是那種想靠近又怕被彼此燒炙燙心的那種既綿密又疏遠的愛。

我的母親是這樣，而我也是這樣的女兒，我年輕時就想創作，一心想離開她，等到十八歲之後，我就把母親一個人留在原地。

那時我總不理解母親爲何會暴怒。夜晚醒來一直看著衣服會不會被剪破了，甚至抱著衣服睡覺。十八歲之後，我以爲我再也不用穿母親買的衣服了，直到我這個女兒也都走入人生後半部了，我才發現竟一直保留著母親曾買給我的一些較爲精緻的衣服。

我把近幾年母親買給我的衣服全拿出來，其實也沒幾件，因爲當我們長大後，就會拒絕母親爲我們打扮的樣子。

那是什麼樣子？粉色系的，像甜霜似的洋娃娃般。

童年時，最怕和她逛街。因爲很少有好結局，總是開開心心地出門，卻極爲疲憊恐懼地歸來。才買的美麗衣服，她就揚言要把它們全剪破了。

那時我總不理解母親爲何會暴怒。夜晚醒來一直看著衣服會不會被剪破了，甚至抱著衣服睡覺，難怪我長大有嗜衣癖，去紐約讀美術時，一度想改學服裝設計。

然後母親給我的衣服壓力是她討厭學校制服，因此她很久才妥協，才買制服給我，這使我童年最初有上學恐懼症。

接著是不買體育服，這也導致我不敢上體育課。總不能穿百褶裙吊單槓跑步吧。

但母親有獨特品味，她從年輕時就覺得學校是為了賺錢才讓學生買一堆制服，學校名堂很多，她不買帳，且她說制服、體育服都是浪費錢且不好看的衣服。

小一上學時我穿了好久的洋裝，最後才在老師不斷地通牒下換成了制服，可以想像我穿著洋裝杵在一群白衣黑裙的小孩之中的獨特模樣。這獨特沒讓我感到驕傲，反而是一種恐懼，恐懼和別人的差異，恐懼別人的眼光，恐懼老師的殺氣騰騰，於是上學成了恐怖之事，常常是心裡默默流著淚。

直到母親妥協，買了制服，解除我的獨特性，我開始無聲音地埋藏在群體裡，成了安靜的小小孩。

她最討厭我穿多層次的什麼波西米亞風，她覺得看起來很沒精神很邋遢。

我還曾經擁有一雙高級手工訂製鞋，那是母親在一家手工鞋店前擺攤做生意的緣故。大約是那幾天生意不錯，而鞋店老闆娘和她感情亦好，她帶著我進入店裡，說要給這個小屁孩訂製一雙娃娃鞋。那是一雙黑色皮鞋，漆亮的黑皮，有金屬扣環，帶點高跟，綴飾著黑色蝴蝶，手工縫線如星辰點綴皮面，雕花紋路具穿透性。那雙鞋我一直保留著，捨不得穿，把它收藏在漂亮的盒子裡，直到有一天母親做媒成功，要帶我去吃一場喜酒時，我才發現我的腳竟套不進那雙手工鞋了，我不知道我的腳竟會長大，為此我還好傷心。

我保留那雙黑色手作皮鞋很多年，直到有一年颱風浸濕了皮鞋，才被母親丟了。我難過許久，彷彿它是我身體的一部分。後來黑色真皮所製作的各式各樣鞋子可說是我的經典不敗款，怎麼買都是挑黑色的。

母親到老都還偶爾會買衣服給我，款式倒非老派，她的美感很不錯，又是很重視面子的人，因此質料也佳，只是她買的不是我喜歡的樣式。如果我是一個乖孩子，拘謹而制式，或者哈日（當時她喜歡到舶來品店買日系品），那麼應該會喜歡母親買的衣服。我喜歡穿自己買的，以前常回家前都必須去火車站的廁所換上她買的衣服或者她喜歡的樣式，如此才敢回家，才不會挨她的罵。

她最討厭我穿多層次的什麼波西米亞風，她覺得看起來很沒精神很邋遢，尤其衣服沒有車邊或者裝飾流蘇，或者破洞刮痕的牛仔褲，那一律是她的眼中釘。還有她討厭性感的衣服，凸顯女性胸部或臀部的衣服，她也一律覺得刺目，覺得發春女孩才會穿出去招搖。

父親過世後，母親保留很多他的衣服，彷彿衣櫥有一天會走出一個父親似地珍藏著。

我可以拒絕性感衣，反正也沒有值得露的地方，我覺得全身最性感的地方是看不見的「腦子」，但波希米亞風偏偏是我喜歡的樣式，她的日系衣服屬於優雅拘謹型的辦公女孩，完全和我不搭調。但母親買的衣服，就是她的心意。我收下時，觸摸著美麗諾羊毛面料時，心裡常常是小小的不安（不知何時才會穿？），又有小小的安慰（感覺母親由衷希望女兒美麗）。

母親在我變成女人時，僅默默地遞給我一條生理褲，一件有襯墊的內衣。然後她嘴巴叨說著，怎麼時間這麼快，妳看起來還像個囝仔。

那是她買給我最性感的衣服。

美國女詩人安薩克斯頓穿著母親的衣服自殺，詩人期盼跟母親合體，可見衣服是如此地具有象徵意義，因衣服貼身，衣服會吸氣味，衣服是一種連結。父親過世後，母親保留很多他的衣服，彷彿衣櫥有一天會走出一個父親似地珍藏著。

以往母親和我出門時，每回都叮囑我要穿漂亮一點。有一回在路口遇到一個她的老鄰居朋友，她向老友說這是我查某囡仔。她的老友對我點頭微笑。我們轉身後，母親邊走邊說，妳今天穿得好看，我才跟她說妳是我女兒。

竟然因爲我穿得美才承認我是她的女兒，我心裡眞是一驚。如果我那天穿得醜，她就要否認我的身分了。

以母親喜歡的樣子打扮自己，和眞正的我是不同的，卻非常符合當代時尚。

母親一直很在意我穿得漂亮與否，但我討她歡喜的時間竟來得如此緩慢，直到她中風倒癱下來，我才開始以她的目光來打扮自己。以她喜歡的樣子打扮自己，和眞正的我是不同的，但卻是非常符合當代時尚。她喜歡時尚衣服，不喜歡落伍的樣子；但她又節儉，每一回買新衣都想了又想，不若我沒幾分鐘就可以掏出錢包了。

母親這一生唯一的制服就是醫院的制服，她說學校制服難看，想必醫院的制服不僅難看還更難過了。

母親生病住院後，我幾度回到她的房間。緩緩地打開衣櫥，每件衣服都整整齊齊，按類別掛上。我摸著衣服，心裡想的是主人穿不到了，這些衣服對中風的母親都太小且太繁複了，我在衣櫥裡徘徊，挑了幾件她年輕時候的衣服，我想保有它們。接著我去採買母親的新衣服，母親手腳如木偶癱掉了，因此衣服必須選有開扣子的才好套入，同時要純棉材質，且大號尺碼。

從L號買到XL，花朵與愛心圖樣，總之得挑喜氣的。從醫院走到百貨或者市集，兩極的空間，同樣使用衣物，心情卻差異很大。一方如此靜默，一方如此喧嘩。

母親住院期間反而是我逛百貨公司最密集的一段時間。尋常離開醫院，一時心情還陷落在灰暗無依時，會突然繞去百貨公司閒晃。我以前很怕逛百貨公司，但從醫院離開之後來到百貨公司會有一種奇異的對比。沿著手扶梯一層一層地行過，像是要被那些閃亮的物質吸納，好塗銷醫院那種沉悶沉滯的氣息，或者只是為了聞一聞生之激情，物之勾引，看是否還有一點想要吃或者想要穿美的心情。

聽見我哽咽擤鼻涕的聲音時，她會抬眼尋我，很迷惘地看著我。

我常常只是面目呆滯地經過一家又一家的專櫃。後來我仔細回想爲何會有這種情形？爲了脫離醫院那令人窒息的制服顏色——那代表醫生與病人或者護理人員的顏色，都因爲空間而充滿了嚴肅，充滿恐懼或者淚水。

離開醫院之後，我常不自覺地就逛到了美麗之地。

我很茫然地走進人多且燈亮的地方，發現百貨公司走起來最能去除病房的沉寂。因爲百貨公司擠滿了物質的慾望。那些物品是爲了讓人妝點色身，讓生活充滿一種激情的渴望。

我一層一層地旋繞百貨專櫃而上，只需把物質換成病人，百貨公司也會像醫院，但怪的是即使心理試圖轉換心境以減少物慾，但氣氛影響人心，同樣名爲百貨，但醫療百貨都是傷感的，而時尚百貨卻都是亮眼可喜的。

好幾次在母親面前忍不住流淚，都怕被她看到。她平常都在發呆，睡覺。只有聽見我哽咽擤鼻涕的聲音時，她會抬眼尋我，她會很迷惘地看著我，搖著我的手。

然後我就佯裝上廁所，轉身衝去，開水龍頭，以水聲蓋過。

然後，我就失魂落魄地走到熱鬧的街心，像失去魂魄的人。一想到母親生病無法再穿漂亮衣服，就會心想趁現在趕快穿。或者也會有另一種極端心情跑出來：爲這個肉身色身奔忙是一點意義也沒有的事情。

我從小最討厭粉紅色，也很怕蕾絲，沒想到現在我覺得粉紅色好可愛。

母親以前常怪我很少幫她買衣服，我確實不知如何買起，逛歐巴桑的店和逛我心中喜歡的店可說是兩條路線，但現在我卻開始不斷地幫母親買衣服，而她能穿的卻十分有限了。

記得以前母親幫我買的衣服都是粉紅色且裝飾著蕾絲，我從小最討厭粉紅色，也很怕蕾絲，可能以前的蕾絲材質不夠好，比較硬，有時必須瞞著母親偷偷把裝飾的蕾絲邊剪掉才覺得穿起來舒服。沒想到，現在我覺得粉紅色好可愛，幫母親買的衣服必須兼顧喜氣與舒服，視覺與觸覺是最重要的考量。

我不知道母親喜不喜歡，但至少知道我的童年都是被她這樣打扮的。

我永遠記得當我接到母親昏迷的電話時，我的神識斷電好幾拍，那時我不知爲何心裡正好想著我應該要穿母親喜歡的衣服回家，因此我在一家服飾店裡採購母親會喜歡的幾樣衣服。接到電話，急忙放下衣服奔出，把店員拋在腦後，迅速走到停車處，火速開到醫院。一路一直跟母親說，媽，等我，我會穿漂亮的衣服回去讓你看，你等我。我會穿你買的衣服給你看，你等我。

母親從加護病房再度睜眼看到我時，已經是幾天之後的事了。

母親醒轉，她竟瞬間就摸著我穿的衣服，我立刻知道她清醒了，因爲那是她以前對我常有的習慣，她第一眼一定是打量我的穿著打扮。

離開母親的病房，我有時也得把討她歡心的美服換下。

我開始到醫院探望母親時總是穿得亮亮美美的。

母親喜歡亮色，後來我想跟她的眼睛有關。不僅老人家覺得黑色死氣沉沉，可能還因爲她眼睛不好之故。

亮色衣服，會使她看清楚我的存在。

母親也喜歡鑲有小珠飾的衣服，但必須質感好的，尤其是羊毛料或者喀什米爾的面料上鑲有一些小珠飾一點小亮片，她覺得很美。哥哥結婚時，她買過一件紫色毛料上繡著珠珠亮片的美麗上衣，低調華麗，質感好。我後來想，我那陣子把略帶沉滯的禪風衣暫時收起來，常穿毛料上妝飾一點華麗珠片和蕾絲花的羊毛上衣，想來是母親那件衣服給我的感受太強烈了。

就這樣，我開始彩衣娛親，穿母親喜歡的衣服樣式來討她開心，以此詐術來行孝，我想再也沒有這麼貼心的詐術了。

離開母親的病房，我有時也得把討她歡心的美服換下，就像十八歲前返家途中在車站換服裝的情況再現，只是現在我換衣服是爲了方便幫母親做事，睽違多年的牛仔丹寧褲，可以從七歲穿到七十歲的牛仔褲再度來到我的生活，把母親接來我住的八里之後，我搖身一變成了家庭主婦，常要機動做很多事，當車夫、當搬運工、當採買工。

我感謝母親以其疾病讓我修了生死學分，讓我有機會補償我對她不曾說出口的愛。

我的第一件牛仔褲也是母親買的，小小孩的牛仔褲口袋上繡了米老鼠，我還記得母親就是因爲那隻米老鼠而買下那件牛仔褲的，她說很適合你這隻小老鼠穿。那年我七歲，穿牛仔褲時感覺皮膚被硬硬的布料磨得刺刺的感覺。

現在爲母親的勞動而穿上牛仔褲時，我感到一種詩心盎然。以前女兒穿母親買的衣服，現在母親穿女兒買的衣服，這也是一種母女合體，我彷彿是一隻袋鼠，攜帶著母親前進色身的艱難處，航進感情的最深處，那是我年輕時不斷逃避之地。

我重返十八歲，往前彌合分裂的時光。

我感謝母親以其疾病讓我修了生死學分，讓我有機會補償我對她不曾說出口的愛，讓我有機會從女兒變成母親，讓我能以她喜愛的樣子討她歡心，她可以對別人說這是我女兒了（可惜她現在卻失語），但從其眼神我知道她是讚許的，和解的時光來得緩慢，但終究是趕上了。

逆女浪跡天涯多年，順風返家，有母親的家。

因為風的緣故

洛夫

昨日我沿著河岸
漫步到
蘆葦彎腰喝水的地方
順便請煙囪
在天空為我寫一封長長的信
潦是潦草了些
而我的心意
則明亮亦如你窗前的燭光
稍有曖昧之處
勢所難免
因為風的緣故
此信你能否看懂並不重要
重要的是
你務必在雛菊尚未全部凋零之前

趕快發怒或者發笑
趕快從箱子裡找出那件薄衫子
趕快對鏡梳你那又黑又柔的嫵媚
然後以整生的愛
點燃一盞燈
我是火
隨時可能熄滅
因爲風的緣故

愛的辯證（一題兩式）

洛夫

尾生與女子期於梁下，女子不來，水至不去，抱梁柱而死。《莊子・盜跖篇》

式一：我在水中等你

水深及膝
淹腹
一寸寸漫至喉嚨
浮在河面上的兩隻眼睛
仍炯炯然
望向一條青石小徑
兩耳傾聽裙帶撫過薊草的窸窣
日日
月月
千百次升降於我脹大的體內
石柱上蒼苔歷歷

臂上長滿了牡蠣
髮，在激流中盤纏如一窩水蛇
緊抱橋墩
我在千噚之下等你
水來我在水中等你
火來
我在灰燼中等你

式二：我在橋下等你

風狂，雨點急如過橋的鞋聲
是你倉促赴約的腳步？
撐著那把
你我共過微雨黃昏的小傘
裝滿一口袋的
雲彩，以及小銅錢似的
叮噹的誓言
我在橋下等你
等你從雨中奔來
河水暴漲

洶湧至腳，及腰，而將浸入驚呼的嘴
漩渦正逐漸擴大爲死者的臉
我開始有了臨流的怯意
好冷，孤獨而空虛
如一尾產卵後的魚
篤定你是不會來了
所謂在天願爲比翼鳥
我黯然拔下一根白色的羽毛
然後登岸而去
非我無情
只怪水比你來的更快
一束玫瑰被浪捲走
總有一天會漂到你的手中

人我單元

導讀／王欣慧
鸚鵡賦／禰衡
超人阿Ａ／王幼華
陽羨書生／吳均
窺夢人／顏崑陽
蘭熙／齊邦媛
溫州街到溫州街／林文月
有情風萬里捲潮來，無情送潮歸／廖棟樑

導讀「人我單元」

王欣慧

人，除非離群索居，否則免不了與他人有所接觸。在接觸的過程中，他人與我，有時相互對立，有時彼此依存；有時極其複雜，有時卻又單純。總之，人我之間的關係，沒有絕對。本單元僅就「正常與瘋狂」、「眞實與假象」、「往逝與恆存」等課題進行選文，部分文本指涉人在面對群我關係時，扣問自我存在的價値；部分文本以自我生命的體悟為起點，進而觀照他人的生命，開啓人生本質的眞假辯證；部分文本則回歸人際交往中最純摯的情感，即使往者已矣，彼此的相知相惜，仍能迢遞著永恆的甘醇。

一、正常與瘋狂

什麼是正常？什麼是瘋狂？《宋書．袁粲傳》中記載了一則袁粲自編的寓言故事，他說：

昔有一國，國中一水，號曰狂泉。國人飲此水，無不狂。唯國君穿井而汲，獨得無恙。國人既並狂，反謂國主之不狂為狂，於是聚謀，共執國主，療其狂疾，火艾針藥，莫不畢具。國主不任其

苦，於是到泉所酌水飲之，飲畢便狂。君臣大小，其狂若一，眾乃歡然。❶

袁粲是南朝宋大臣，生性清高，不肯依附權貴，因此在官場上幾經起落，他在故事結尾有感而發地說：「我既不狂，難以獨立，比亦欲試飲此水。」在舉世皆狂的時代中，清醒者難以獨立，唯有隨波逐流，在不得已的情況下，只能「從眾俱狂」。換言之，誰是常人？誰是瘋子？只要「你」和「我們」「不一樣」，「你」就「不正常」。

東漢末年處士禰衡（西元一七三－一九八年），因拒見曹操（西元一五五－二二〇年），被罰作鼓吏，他當眾裸身擊鼓，反辱曹操。朝堂之上，赤身裸體，自然有失禮法；後又手持三尺梲杖，坐於曹營大門，以杖捶地大罵。然而如此矯時慢物的狂生，最終也只能服膺於現實環境下。他在歷經幾次身非己有的遣送遭遇後（曹操將他送給劉表、劉表又將他送給黃祖），於一次宴會中應賓客要求即席作〈鸚鵡賦〉，賦中藉由描寫鸚鵡「守順從以遠害，不違迕以喪生」而終被捕獲成為籠中寵物的不幸，表達己身在面對外在強大勢力迫害時，只能委身順命的無奈與悲哀。

王幼華〈超人阿A〉中的阿A，曾拿著兩公尺長的竹竿，想跳過三公尺高的工廠圍牆；也曾拿著七、八隻傘，從百貨公司三樓跳下。他本是富家子弟，擁有龐大資產，卻捐贈一空，平日就靠打零工過日子。他經常向眾人發表他對各類事物的看法，人們對他的言論不是說太理想就是說不可能，隨便一點的人就乾脆說他是瘋子。只是此時瘋子的本質是什麼？簡單來說，就是不見容於世俗秩序，他人眼中的異端而已。

❶ 沈約，《宋書》（北京：中華書局，一九九七年），頁二三三一。

二、眞實與假象

在現實生活裡，我們「人」常常被外在「事」、「物」的表象所綑綁，就好比鏡花水月、海市蜃樓，明知那是虛幻不實的，卻仍然眩惑於它的美麗而泥淖其中。又或者，因爲實現生活裡的想望欲求，我們「人」開始爲自己編織撩人的閣樓於夢境中。本課題的設計，主要是希望透過文學作品的閱讀，帶領同學進入一個眞假混一的世界，探討我們「人」是如何被「所相」拘執，因禁在眞與假當中，並借此覺察自身與所對應環境的互動模式。

吳均（西元四六九年—五二〇）〈陽羨書生〉，乍看之下，是作者有意借由許彥的眼睛，向讀者展示男女情愛不過是一場接一場的虛假與欺騙。故事中書生、妻子、情人與情人的情人之間，一連串的吞吐動作，許彥是唯一的觀眾，誰用情是眞？誰用情是假？許彥似乎看清了一切眞象。然而，當書生反問許彥說「暫眠遂久，君獨坐悒悒耶？」這一「獨」字，既可視爲書生被妻子欺騙而不自知的愚昧，又可視爲作者有意留給讀者想像揣摩的空間——許彥所見盡是假象。換言之，這是一個眞、假難辨的世界。正如故事一開始，許彥不相信書生能坐進鵝籠，但當書生坐進鵝籠後，籠未變寬，書生也未更小，許彥隨即揹起鵝籠，也不覺重，此一不合乎世間常理的經驗，究竟是眞是假？無人能知曉。此後，許彥面對眼前所發生的一切都不再質疑，只以一「善」字應對，前後態度的轉變，也耐人尋味。如果讀者以爲許彥的四度曰「善」，是一種冷眼旁觀的表現，那麼讀者已然相信許彥看到的是眞象，而這所謂的眞象，恐怕也只是讀者自身的心念。

顏崑陽在〈窺夢人〉一文中就說「這世界，任何一件事都只能各說各話，『眞象』就讓『自以爲是』的人去相信吧！」因爲，當我說這件事全是眞的，或許，你不相信，硬說是假的；因爲，人們總是選擇他想相信的去相信，而不想相信的事物便認定是假的，所以說「這世界向來是眞假難辨」。文中的窺夢人，因具有窺視他人夢境的能力，讓「我」看見好友C君——知名的大學教授、向來以孝悌爲友輩所敬重——在夢境中，不僅不伸手救援在滾滾濁流中載浮載沉的父親，反而在父親終於攀到梯子時，面無表情地抬起腳將梯子踹倒。此後，每當「我」在現實生活中見到溫文儒雅的C君時，竟然逕自感到些許的厭惡。而窺夢人，原本相信鶯鶯會與他結婚，至少心裡有他，忍不住窺探鶯鶯的夢境後，發現夢中全是不同的男人，就是沒有他。於是在「愚人節」當夜，從鶯鶯夢中出來之後，服毒自殺。「我」與窺夢人，都相信了夢境是眞，然而「夢與非夢，如何分辨」？這樣的結局，不正驗證了「假作眞時眞亦假，眞作假時假亦眞」？

三、往逝與恆存

隨著科技的便利、宅經濟的崛起，現代人只要動動手指頭，便可獲取日常生活所需，人與人之間的互動有如點水蜻蜓，既表面又迅速，古人所謂「昔日遊處，行則連輿，止則接席，何曾須臾相失。每至觴酌流行，絲竹並奏，酒酣耳熱，仰而賦詩，當此之時，忽然不自知樂也」❷的友朋歡聚之情，已如天方夜譚，遑論日後心生故舊凋零、物是人非、睹物思人的傷感，人與人之間似乎已漸失溫暖。然而，創新工場董事長李開復在接受《親子天下》專訪時卻指出：在AI時代，「愛與感情、人與人之間的信任與溝通將是人類的最後防線」，點出了人類的獨特價值，才是我們最寶貴的資產與利基。❸試問，我們怎能忽視人類自身不可取代的溫度？以下三篇關於友情、師生情誼的選文，即是試圖喚醒現代人已然沉睡的情感。

齊邦媛〈蘭熙〉寫自己與張蘭熙、林文月、林海音四人相互扶持、欣賞、疼惜，相交一世的種種，但隨

❷ 曹丕，〈與吳質書〉，《文選》（臺北：華正書局，二〇〇〇年），頁五九一。

❸ 邱紹雯，《親子天下雜誌》，九十期，二〇一七年六月一日。https://www.parenting.com.tw/article/5074230-李開復：AI時代，情感是人類最後一道防線。

著林海音的去世、張蘭熙的病重，當年的歡笑晏晏，成爲如今死生契闊的殘局，只留作者踽踽獨行的感傷。然而文章的最後一段卻寫道：「三十年雖然只是永恆的一瞬，但我們希望它（筆會英文季刊）爲這個時代的臺灣留下刻痕。如十六世紀英國詩人Edmund Spencer在他名詩Epithalamion最後的希望是用此奉獻，『For a short time an endless monument』。」縱然是面對與三十年知交死別的至痛，但當年一群人爲一個單純的共同目標（爲臺灣在國際上發聲）相互鼓勵支援的過程，不只爲臺灣留下了刻痕，也爲彼此短暫的生命留下了無盡的紀念。

林文月〈溫州街到溫州街〉主要緬懷兩位師長相知相惜的過往。從溫州街七十四巷鄭騫先生家到溫州街十八巷臺靜農先生家，早年是沒有被切割的，所以閒暇時，他們經常會散步，穿過幾條人跡稀少的巷弄，互相登門造訪，談天說理。但隨者臺北市人口大增，街道整治，兩條巷弄間隔出了一條辛亥路，由於車輛飆馳，使得兩位上了年紀的師長視爲畏途而互不往來，平時僅以電話互相問安或傳遞消息，辛亥路遂成爲咫尺天涯。後來藉由鄭先生親贈詩集給臺先生的因緣，作者又親自見證了兩位師長惺惺相惜的畫面，分享他們多年不見的喜悅與友誼，然而這一次的會面，也是兩人最後一次的相訪晤對。隨著兩位師長相繼過逝，作者再一次從鄭先生的家走到臺先生的家，舊地重臨，格外悲戚，尤其臺先生原本居住的那一幢日式木屋已改建爲鋼筋水泥大廈，更覺感傷。然而當作者站在約莫是從前六號的遺址前定神凝睇，覺得「那粗糙的水泥牆柱之間，當有一間樸質的木屋書齋」，「那木屋書齋之中，當有兩位可敬的師長晤談」，於是作者「彷彿聽到他們的談笑親切，而且彷彿也感受到春陽煦暖了」。正是永恆的人情，竄流在逝者與存者的生命中，將人事已非的變動，轉化爲歷久不渝的感動。

廖棟樑〈有情風萬里捲潮來，無情送潮歸〉透過豐子愷的〈漸〉，敘說恩師王金淩先生的霎然離去，其實是睿智的「演示」，先生用一種極霹靂的手段，一如禪師的棒喝，告知我們不要可憐受盡「漸」的欺騙，不要不再關心昏曉流連中時光之輪的轉動，要珍重此生的可自主性，重新面對這已經無感的人世。同時，透過先生開設的「魏晉玄學」課程，側寫先生清峻通脫的性格，以及看似沉潛慢悠卻極具深度力道的為學態度。最後，以先生喜愛的蘇軾〈八聲甘州〉（有情風萬里捲潮來）作結，在感慨潮來潮往、有情無情的悲愴中，傳達出對先生離世的無限遺憾。然而或許是受到東坡/恩師「不應回首，為我沾衣」的感召，全文除了不捨先生的驟逝，也為先生建立了不朽的哲人典範，長存人心。

鸚鵡賦

禰衡

時黃祖太子射，賓客大會。有獻鸚鵡者，舉酒於衡前曰：「禰處士❶，今日無用娛賓，竊以此鳥自遠而至，明慧聰善，羽族❷之可貴，願先生爲之賦，使四座咸共榮觀❸，不亦可乎？」衡因爲賦，筆不停綴，文不加點❹。其辭曰：

惟西域❺之靈鳥兮，挺自然之奇姿。體金精之妙質兮❻，合火德之明輝❼。性辯慧❽而能言兮，才聰明

❶處士：本指有才德而隱居不仕的人，後亦泛指未做過官的士人。

❷羽族：鳥類。

❸榮觀：榮幸地觀賞。

❹文不加點：點，古人書寫時，如遇錯誤，即塗上一點，表示刪去、改動。文不加點，意指文思敏捷，下筆即成，不須作任何修改。

❺西域：鸚鵡產地為西部隴山，故稱西域，即後文隴坻、流沙等地的泛指。

❻金精：古人以五方分屬五行，東方屬木，南方屬火，西方屬金，北方屬水，中央屬土。鸚鵡產自西方，因此牠的自然奇姿體現了金精的妙質。

❼火德：古人以五方各有天神統治，是為五方上帝。又以五方上帝分別配五行五色，金木水火土、白青玄赤黃，白帝少昊金德、青帝太昊木德、玄帝顓頊水德、赤帝火德、黃帝土德。鸚鵡嘴赤，赤色屬五行之火，因此說牠閃爍著火德的光輝。

❽辯慧：聰慧而富於辯才。

以識機⑨。故其嬉游高峻，棲跱⑩幽深。飛不妄集，翔必擇林。紺趾丹觜⑪，綠衣翠衿。采采麗容，咬咬⑫好音。雖同族於羽毛，固殊智而異心。配鸞皇⑬而等美，焉比德於眾禽！

於是羨芳聲⑭之遠暢⑮，偉靈表⑯之可嘉。命虞人⑰於隴坻⑱，詔伯益⑲於流沙⑳，跨昆侖而播弋㉑，冠雲霓㉒而張羅。雖網維㉓之備設，終一目㉔之所加。且其容止閑暇，守植安停㉕。逼之不懼，撫之不驚。寧順

⑨識機：辨識事物發展變化的幾微跡象。
⑩跱：同「峙」，聳立。
⑪紺：音ㄍㄢˋ，青中帶紅的顏色。觜：同「嘴」。
⑫咬咬：鳥鳴聲。
⑬鸞皇：鸞鳥和鳳凰。皇，「凰」字的古寫。
⑭芳聲：美好的聲名。
⑮遠暢：猶遠揚，傳播廣遠。
⑯靈表：美好的外表。
⑰虞人：古代官職名，主掌山澤、苑囿、草木、鳥獸。
⑱隴坻：今甘肅隴山，傳為鸚鵡產地。
⑲伯益：傳說中唐堯時掌管山澤之官。
⑳流沙：《尚書．禹貢》有流沙地名，指當時西邊疆界。
㉑播弋：設置射鳥的器具。弋：繫有細繩的箭。
㉒冠雲霓：在雲彩和虹霓之上。
㉓網維：指羅網上的繩子。
㉔一目：指羅網上的一個網孔。
㉕守植：守志。安停：安定。

從以遠害，不違迕以喪身。故獻金者受賞，而傷肌者被刑。爾乃歸窮委命㉖，離群喪侶。閉以雕籠，翦其翅羽。流飄㉗萬里，崎嶇重阻。逾岷越障㉘，載罹寒暑㉙。女辭家而適人，臣出身而事主。彼賢哲之逢患，猶棲遲㉚以羈旅㉛。矧㉜禽鳥之微物，能馴擾㉝以安處。眷西路而長懷，望故鄉而延佇㉞。忖陋體之腥臊，亦何勞於鼎俎㉟？嗟祿命之衰薄，奚遭時之險巇？豈言語以階亂㊱，將㊲不密以致危？痛母子之永隔，哀伉儷之生

㉖歸窮委命：身處困境而無可奈何地服從命運的支配。

㉗流飄：猶漂泊。

㉘岷：今甘肅與四川交界之地。障：山名，位於今甘肅省。

㉙載：發語詞。罹：遭遇。寒暑：指旅途花費時間很長。

㉚棲遲：滯留。

㉛羈旅：客游在外。

㉜矧：何況。

㉝能：能不。馴擾：馴服、馴順。

㉞延佇：引頸企立，形容盼望、期待。

㉟鼎俎：烹飪器具。鼎：鍋。俎：切菜板。

㊱階亂：禍亂之階，引起禍亂。

㊲將：抑或、還是。

㊳匪：同「非」。

㊴衆雛：鸚鵡的子女們。

㊵背：離開。下國：謙稱，小國。此指鸚鵡離別自己的故國。

㊶光儀：稱人容貌的敬詞，指光彩的儀表。

離。匪[38]餘年之足惜，愍眾雛[39]之無知。背蠻夷之下國[40]，侍君子之光儀[41]。懼名實之不副，恥才能之無奇。羨西都[42]之沃壤，識苦樂之異宜[43]。懷代越之悠思[44]，故每言而稱斯。

若乃少昊司辰，蓐收整轡[45]。嚴霜初降，涼風蕭瑟。長吟遠慕，哀鳴感類[46]。音聲淒以激揚[47]，容貌慘以憔悴。聞之者悲傷，見之者隕淚。放臣爲之屢歎，棄妻爲之歔欷。感平身之游處[48]，若壎篪之相須[49]。何今日之兩絕，若胡越之異區。順籠檻[50]以俯仰，闚戶牖[51]以踟躕。想昆山[52]之高嶽，思鄧林[53]之扶疏[54]。顧六

---

[42] 西都：指長安。

[43] 異宜：各有所宜。

[44] 「代越」句：代越：代指代郡，今山西北部；越指南越，今廣東、廣西等地。古詩有「代馬依北風，越鳥巢南枝」之句，意指代馬越鳥各不忘其故國。悠思：久長的思念。

[45] 「少昊」二句：少昊與蓐收均為古代傳說中主宰秋季之神。司辰：主管時令。整轡：駕車。

[46] 感類：想念同類。

[47] 激揚：激越清揚。

[48] 游處：出遊和家居，此借指同遊共處的知交。

[49] 若壎篪之相須：壎：音ㄒㄩㄣ，又讀ㄒㄩㄢ，古代一種用陶土燒製的樂器。篪：音ㄔˊ，古代一種用竹管製成的樂器。《詩．小雅．何人斯》有「伯樂吹壎，仲氏吹篪」句，後以壎篪相和比喻兄弟和睦相處。相須：相互依賴。

[50] 籠檻：鳥籠柵欄。

[51] 戶牖：門窗。

[52] 昆山：昆侖山的簡稱。

[53] 鄧林：《山海經．海外北經》載：夸父逐日遺下的手杖，化為鄧林。此處泛指樹林。

[54] 扶疏：樹葉茂盛紛披貌。

翮55之殘毀，雖奮迅56其焉如？心懷歸而弗果，徒怨毒於一隅。苟竭心於所事57，敢背惠而忘初58？託輕鄙之微命，委陋賤於薄軀。期守死以報德，甘盡辭以效愚。恃隆恩於既往，庶彌久而不渝。

55 翮：音ㄏㄜˊ，鳥羽的莖，翎管。
56 奮迅：奮飛。
57 苟：只能，唯有。所事：所侍奉的主人。
58 忘初：忘記當初被捉時的情景。

超人阿A

王幼華

阿A在本市是使成人們又愛又恨的角色。孩子們卻最是喜歡他。他出現的地方總是跟著一群孩子，孩子群總是發出驚嘆聲、尖叫聲、歡笑聲。我第一次見到鼎鼎大名的阿A，是我在上班工廠的圍牆邊。那時我剛由鄉下的分廠調進本市的總廠。這天，我正和一群同事們走下交通車，朝工廠大門走去。就在大門左側的圍牆邊，我看到一個中等身材，戴黑框眼鏡，頭髮凌亂的男子。他似乎正在想辦法由圍牆外翻進工廠內。注視了圍牆好一會。摸了摸牆壁，他開始往後退，一步一步地測著距離，似乎滿意了以後，猛的便向圍牆衝跑過去。他的腳衝上牆兩三步，因爲重心的關係，雙手一陣亂抓，然後掉下來，那副樣子眞是笨拙，好笑極了。總廠的圍牆大約有三公尺高，牆頂還有半公尺高的鐵絲網。

因爲第一次看到傳聞中的阿A，不免好奇的停下腳步注意他。許多同事笑著走過去。有人搖頭，有人在嘴裡咒罵，有人向他喊：「加油！加油！」阿A又退後了幾步，那模樣像是很認眞的在測量衝刺的距離。反反覆覆走了幾次後，他又開始朝圍牆狠命的衝過去，我的心臟一陣發緊。這次他在圍牆上多踏上了兩步，還是依牛頓蘋果定律掉了下來。而且這次似乎連頭也在圍牆上撞了一下。他倒在地下，躺著一動也不動。我有些受不了，想過去看看。正準備過去，他又猛的由地上站了起來。他摸摸額頭，那兒有點血，又青又紅的一大塊。他把手指放在嘴裏舐了舐。我看到大門口的警衛趙先生出來了。他一臉不高興，雙手插在微凸的腰際，盯著一直想由圍牆爬進去的阿A。趙先生腰上懸有隻長警棍。

阿A到附近去撿了根長竹竿來，那竹竿大約只有兩公尺長，顏色灰暗，好像很容易折斷，這竹竿擺在路邊風吹雨淋好一段時間了。他拿著竹竿開始測量距離，一會兒又走到牆壁挖了一個洞，準備插竹竿。他這樣跳上去，大約正好撞到鐵絲網上，那上面偶爾通有電流。

「這傢伙又發作啦，昨天聽說在全統百貨公司，前天在少年監獄，今天跑來我們這裏。」老李說。

「喔！他跑到少年監獄去幹麼？」

「幹麼——爬它的圍牆啊。」

阿A左手在前右手在後，執著竹竿，衝向圍牆。我突然有著想要跑步的衝動，我以前可是學校的短跑健將哩。他撐起來了，依牛頓蘋果定律，他掉下來了。竹竿在半空中折斷，發出「喀啦」的聲音。……趙先生的嘴唠得半天高。

「走啦，走啦——」

老李拉拉我。

「但是，他，他怎麼樣了。」

我有些著急的看向躺在地上半天不動的阿A說。

「放心吧，他死不了的，昨天他從全統百貨公司的三樓跳下來，手裏拿著七、八隻傘，沒死咧——」

「放著大門不走，他就是要爬牆，我也沒攔他呀！」

警衛先生向我們攤攤手說。

「別管他，趙先生，這傢伙就是有問題。」老李說。

「老弟，我看你不太清楚，阿A以前是我們廠裏的化學工程師，一流的人才咧，兩三年前腦子壞掉啦，一直說我們廠有問題，我看他可憐嘛！是吧，他走了再回來我都勸他，沒對他兇過。」趙先生說。

「怎麼會，怎麼會這樣呢？」

「年輕嘛，不滿嘛，少不更事，對廠裏的很多事都看不順眼，說說這，說說那，大家都討厭。咱們這廠幾十年了，幾千員工，他能怎麼樣啊？」

「喔！喔！」我說。

據說阿A在不發作的時候完全是個正常的人。平靜安詳，說話有條有理。他是本市有名巨族吳家的子弟，吳家在建築、木材、交通業上都有龐大的資產。阿A將他所有的資產揮霍一空（大部分是捐贈光了）後，平日就靠揀些廢紙，打零工過活。經常向眾人發表他對各類事物的看法。人們對他的言論不是說太理想就是說不可能，隨便一點的人就乾脆說他是個瘋子。他獨自一人住在市中心一幢陳舊的公寓裏。因爲對他這人行爲、思想的好奇，我曾因辦事路過那兒，特地去找過他。那日阿A正好不在，公寓門也沒關，我就直接上到樓上去找，他的房門是關上的，窗戶卻是洞開的。我叫了幾聲，沒人回答。因此我探頭去看了看，房間很小，很陰暗，四處都是些破爛的書，一大堆音樂帶，一張書桌，一把剩下幾根齒的梳子，一個紅色的塑膠碗……他不在令我頗感失望。我下樓，走進樓下的一間麵包店，隨意逛逛，想買點蛋糕給老婆、小孩吃吃。一面和麵包店的老闆隨便的聊聊天，當話題談到阿A時，沒想到這位紅光滿面，小型胖子的老闆興高采烈了起來。

「哈！這個人不簡單喔！不要看他瘋瘋癲癲，做事有腦筋喲……上次他要競選市長我就支持他——」

「競選市長？阿A？」

「是啊，你不知道？上次市長選舉，在天意廟那裏，三個候選人在那裏發表政見。一號說他最老實，最不會說話，不會說謊；種田人出身，他當選後會像牛一樣替大家工作，不會抱怨。二號一上臺就說一號要給他三百萬叫他退出選舉，什麼不會說謊，夜市的生意人，大家不要上當——」

「哈哈，都是這樣，都是這樣。」

「哈哈，二號上臺就批評這個罵那個，說他才是眞正不買票，最窮苦最清白的人；沒有背景，只有進步思想，他上臺大家才有希望。三號的上臺說他是大學教授，教書認眞，學問最好，是黨國一手栽培的，他一定會好好努力報答國家的栽培。三個候選人裏面只有他是正牌政府推薦，他當選才是道理，大家不要被破壞分子騙人的言詞欺騙了。」

「呵呵，難說，難說。」

「呵呵，三個人吵起來了呢！臺下支持的人也分做三派在那裏罵來罵去。臺上的人說要去城隍廟斬雞頭，誰說謊誰出去就被車壓死。差一點打起來，大家都看得很高興，眞熱鬧。」

「嘖！嘖！眞兇狠，眞兇，報應要很久才知道。」

「突然喔，在政見發表臺子對面廟的屋簷下，有兩隻大喇叭響起來。哇——聲音好大，比臺子上的大了幾倍，叫大家注意，注意看這一邊，大家都翻過頭去看，怎麼搞的？怎麼會有這樣奇怪的聲音？一看，結果是阿Ａ，人站在大廟的屋頂上，眞大膽，四、五層樓這麼高，風又大。他穿著西裝，掛一條紅布條，拿著麥克風向大家說話。哈哈！」

「這個人，這個人！」

「大家都不管這邊的三個人，都去看阿Ａ。」

「他說什麼？」

「他請大家投他一票，他說反正本市十幾年來都沒有什麼進步，別的都市都比這裏進步多了，好多了，市政府一天到晚吵吵鬧鬧。選他們三個人：一個人想賺錢，一個人只想搗蛋，一個只會遵命；還不如選他。選他反而大家都會快樂，每個人都可以笑他，罵他；他絕對很老實，不要錢，沒有派系，不會害人，請大家投他一票。他的號碼是○號，大家一定要投○號一票，接著他唱了一隻歌給大家聽——」

「噢——什麼歌啊？」

「我是一隻畫眉鳥呀，畫眉鳥，彷彿是身上沒有長羽毛，沒有羽毛的畫眉鳥，想要飛也飛不了……不是我身上缺少兩隻腳，不是我身上沒有長羽毛，只因爲我是關在鳥籠裏，除非是打開鳥籠才能跑。一聲一聲叫——」

我笑得滿眼都是淚水，麵包店老闆唱得眞來勁。一面唱一面笑，肥胖的臉激動得漲紅了，血液鼓滿他薄薄的皮膚，彷彿輕輕一觸就會破裂。

「他一面唱一面還在屋頂上跳舞，哇——好危險，那上面都是瓦片，他滑倒好幾次，有一次還滑下來，滾滾滾，差點滾下去。幸好及時抓住屋簷，掛在半空中，他的腳就在那裏踢來踢去，嚇死人。大家都叫起來，唉喲，一身冷汗，二、三十公尺咧，掉下來一定摔死。大家都出聲大叫，叫他用力，用力爬上去，爬上去，他在那裏扭來扭去，好危險……」

「結果呢？」

「好在，爬上去了。後來警察來了，用消防隊的雲梯爬上去把他抓走啦，哈哈哈——」

聽著麵包店老闆這般的敘述，我有種想跑步，想大喊大叫一番的衝動。爲什麼會這樣，自己也搞不清楚，這傢伙眞瘋狂啊，他到底想幹什麼？

由於現代的社會是一座大型機器，所以每個人都必須去做機器的某一部分，人人都要成爲某種有用的工具，以便能發揮功用；不需要例外。我對自己的工具身分，大部分時間都很滿意。但偶爾不免有些波動、厭煩，而蠢蠢欲動。根據某些專家的說法，厭煩是來自慾望的無法滿足。每當我工作受到阻力，挨主管的訓斥，家庭裏發生點問題，免不了有挫折感，心情不好時，我都會期望看到那位令人驚喜的阿A。好多年了，本市的人們和我，都經常能在市區內看到他。阿A帶領一群小孩，又唱又跳又鬧，佔領噴水池，在公園綠地跳舞。在公共場所、戲院、百貨公司前向大家演講。常常聽見人們談論他老是做出可恨可笑的行爲，造成的荒謬離奇的狀況。有陣子裏，我甚至也發覺自己和本市裏的一些人們，在潛意識裏面受到他莫名其妙的影響。有時也會有股衝動表現突兀的行爲，即興的表演一段阿A的怪異動作，發出特殊的聲音，胡搞一番，使旁人驚訝極了。那時的心理狀況大概是感到很無奈、無力，或是很想使氣氛改變一下，或者只是想表現表現自己，引引別人注意而已。而彷彿的，我也能在這裏得到些快樂呢！

沒有人願意自己永遠只能是個小角色。也許自知不可能會是大人物，婦孺皆知的如同阿A先生。在適當的時機裏，人還是願意往上爬一點的，一小點也好。那麼一小點，一點職位，就會給人極大的影響，使整個人的心理觀念起很大的改變。

說實在的，若阿A出現在我升任科長的典禮上，我會受不了的，因爲那是個嚴肅的場合，對我個人來說意義重大。他要是來搗蛋、胡鬧，我一定受不了。（但是滿奇怪的）在董事長、總經理、廠長皆列席的升級進階會上，氣氛是那麼莊重、嚴肅，人人都很謹慎，胸前佩戴著大紅花的我老是覺得阿A躲在會場那個角落裏，他一定會在那一刻中突然跑出來胡鬧一番。使每個人又氣又好笑。他出來我一定會第一個衝過去的。但是，他畢竟沒有出現。自從我升任科長後，我對阿A的態度有顯著的改變，和我以前當員級職工時的心情、口吻截然不同。我們這些「首長」們一致認爲他是個秩序破壞者，權威的嘲諷者，一個社會中無所事事的敗類，實在應該強制他進精神病院醫療才是。

他這人的行爲有意無意，對本市的尊嚴、威信造成傷害。經常帶領無知的孩子逃學，規避嚴格的教育，不讓孩子去補習，打破他們的眼鏡，誘使孩子過度歡笑，灌輸孩子令人駭異的觀念，造成懷疑和抗拒的氣氛。本市各機關首長們的看法都很一致，自然我也深深同意。因爲我服務的工廠在市內直接間接造成許多就業機會，附屬的生產團體不少，所以在市內影響力很大。地方上重要的事務，比如選舉、節慶、典禮，廠內的主管們都會受到邀請，盼能列席指導。平日，我們這些首長們也頗來往頻繁，經常有些聯誼的活動。

在一次本市文化活動進行中，我感覺我對阿A的行爲極爲震怒，從此以後不再對他稍有諒詞，也不覺得這人有趣了。他的確是個破壞者，把一個極爲莊重有意義的活動毀了。那次市政府邀請了一位海外知名度極高的女舞蹈家來表演，主辦單位花了許多錢，透過許多管道才得到她的首肯，海報上的宣傳文字是：

「她是十億中國人中跳得最好的，這女士的來到足以提升本市文化水準兩成以上，她是傳奇，中國人的驕傲！本市竭誠期待她的蒞臨。」

本市重要人物全受到邀請。說實在的，據我所知，「首長們」，包括我在內，對現代舞的修養有限，除了看過一些「仙女獻壽」、「苗女弄杯」、「綵帶舞」、小朋友芭蕾以外所知不多。在本市的表演廳內，首長們都安排坐在前四排，像我這樣剛走入首長行列的人，第一次得到貴賓券，雖然只坐在第四排靠邊的位置，但心裏的那分認眞、肅穆是很難描述的。節目一開始就是市長致詞，來賓致詞，教育局長致詞，好一會，舞蹈眞的開始，全場圍得水洩不通，但眞的是鴉雀無聲，大家都很緊張，害怕被別人看出自己不懂臺上究竟在跳些什麼，中國跳得最好的女人呢！說實在她那樣東跑西跳，一下跳起來，一下躺在臺上爬來爬去，實在搞不太懂，舞臺上的顏色變來變去，音樂也實在不知道什麼時候開始，什麼時候結束，她跳了十分鐘場中已經出現不耐煩的發出嗡嗡的聲音。唉！總之每次她大概是跳完的時候，後排已響起聲音的時候，我們才冷靜的拍著手，輕輕點頭表示嘉許。

整個表演大約一個多小時，她實在很辛苦，首長和眷屬們也是，他們在窄窄的椅子裏睡得很辛苦。我記得阿A出現的時候，她正在跳一支叫「永恆的刹那」的舞。她正在五彩繽紛的燈光中，賣力的跳躍，在空中交叉那健壯有力的雙腿，無限陶醉的樣子。頭髮凌亂，戴一副黑框眼鏡身穿長袍馬褂的阿A不知何時突發出現在臺上了。因爲坐在前排，我很清楚的看見他左邊的鏡片裂了三、四道，冷冷的面孔，黑白分明的眼珠裏閃著一種狡猾和喜悅的味道。觀眾正在詫異，主辦人員吃了一驚，他開始向臺下的人說：

「我跳舞你們爲什麼不看？我跳的才是眞正的民族舞蹈，不要錢，我自己來，你們看！你們看！」

他居然在舞臺上跳了起來，嘴裏唱著那條：我是一隻畫眉鳥。有人開始起鬨，叫嚷，有人瘋狂的鼓掌，首長們個個鐵青著臉。維持秩序的警察從兩側擠過人群，向舞臺上衝去。表演著的阿A可笑笨拙的姿勢，慘不忍睹，一下抬腿，一下翻滾，長袍都弄破了。我們偉大的女舞蹈家愕然的停下了她的動作。不愧是見過世面的女舞蹈家。她不管舞臺上、下的混亂，停一會又繼續跟著音樂跳了下去。在舞臺上一陣追逐，警察抓住阿A，扭著他的手臂把他往下推。阿A不情願的掙扎，大嚷：

「你們爲什麼抓我，一點也不尊敬我，我是最偉大的舞蹈家。」

我震怒極了，他對本市的榮譽影響太大了。我們首長們都憂心忡忡，憤憤不已。害怕那位女舞蹈家和記者會對我們不諒解，奇怪的是，她在報上只批評觀眾水準不佳，場地狹小，燈光欠佳，招待人員素質太差，從沒有提到阿A一個字。但是我們一致認爲她所以如此說，完全是因爲阿A搗蛋的緣故。至於觀眾照相，吹口哨，起鬨那算水準不佳。我甚至不諒解自己多年前，曾私下去拜訪這個瘋狂的傻子。

近來，本廠的配置科即將撤銷的傳說愈來愈接近眞實。這位新董事長上任不久後就有這樣的風聲。我一直不相信它會是眞的。因爲在我的科內有三、四位職工的背景很硬，雖是小小的工友身分，連廠長都要讓他們三分。多年來在社會的歷練，根據我的判斷這幾乎是不可能的，新任董事長雖然厲害，名氣響亮，但也不至於如此吧！因爲我科內的現象在一般機關內太普遍了，新董事長會知難而退的。我平常也這樣安撫我科內的員工。但裁撤的人事命令竟然還是下來了。所列的原因是本廠多年虧累，人事繁雜，冗員機構過多。我任本科的科長才不過兩年多而已，雖然不敢說自己很認眞工作，但至少從來沒有得罪過人，不比別人好，也不比別人差，而且花了很多心血才當上這個職位。我的年紀將近四十，不太想改行，重新找工作，已經沒有那股衝勁。因爲希望廠方不要資遣我，我去拜訪廠長，並有些氣憤他爲什麼沒有預示我這種可能性，使我心理沒有準備，而且科內員工對我很不諒解。廠長並沒有給我滿意的答覆，他說：

「當初你和李苗、張秉玉爭這個缺，我就暗示你沒有什麼好處，你一定要，我只好如此辦了。我明年就要退休，如果把你改調，出了問題我也完蛋，我辛苦了三十多年，你了解吧……」

確實的，我這個人最大的毛病就是不夠積極，除了那次升科長稍微努力過罷了。我太世俗，偶爾也會有點偏激的念頭，但不久就會平復它，而且會責備自己爲什麼這樣亂想。在此之前生活一直很平穩，安順，多麼好，一年升一級薪水加多一點，慢慢往上爬，不願想太多，對社會上那些失意，窮困，發牢騷的人，是有點同情心的，有時覺得他們實在不幸，有時又覺得他們的行爲不值得諒解，但從來沒想過自己會是他們其中一份子，從來也不會相信會是。

離職一個多月了，我經常想到狂人阿A。不知怎麼搞的，一直很想看到他，那個念頭很強烈，但他始終沒有出現。

這幾天，本市正在熱烈的舉行兩年一度的全國運動大會。市區內到處建有牌樓，馬路邊插滿各色旗子，全國各傳播界的記者都來到這裏。許多項比賽陸續的在各個運動場展開。市內一片熱鬧興奮的氣味。

這是我有生以來第一次嘗到失業的滋味，我不是沒有本事能力的人，學歷也不差，只是不太能接受這樣的狀況，愈想心裏愈不舒服，愈窩囊，簡直什麼也不想幹，灰心透了。有時我騎車經過工廠大門，看到那高大裝有鐵絲的圍牆，竟有股想去爬它的衝動呢。——大女兒念國中，要補習英文、數學、物理、化學，還要彈鋼琴、學舞蹈；兩個兒子，除了念書吃飯，也去補習作文，練空手道。錢喔！錢喔！

我的薪水剛好夠家庭開銷，老婆教插花，一個月錢還能剩一點。我的資遣費雖然不少，加上平日的積蓄，大約可以維持兩年。當我還是配置科科長的時候，朋友還眞不少，由於互利的關係，到處都看得到有禮溫和的面孔，現在比較多的是敬而遠之安慰的神態和表情。我也看上過幾個職位，拜訪過一些朋友，大都因機會、條件、關係等原因沒有順利成功。不能讓人家爲難的，大家，不管是A、B、C、D……甲、乙、丙、丁……都和我差不多，都有困難，都有難言之隱，等著看、慢慢看，有機會再說……這幾天閒得發慌，在家裏東摸西摸的不耐煩極了，就騎著車在市區內閒逛。好幾次經過阿A住的公寓旁。不禁多瞄了幾眼，他一定不認識我吧？但我卻好像和他很熟悉，像久年老友一樣有感情。麵包店老闆仍然在那兒，摸著大肚皮和客人聊天。

老婆不斷向我嘮叨，要我去找一位老同學。這位老同學在X市已經當上相當高的職位，有相當的權勢。

只是我很不願意去，原因是學生時代就相當看不起他，兩個人之間關係不怎麼好，他的臉皮厚，權利慾望強，只要他想做到的事，他是可以付出任何代價的。雖然我也不怎麼清高，有操守，這一點我還是無法接受。老婆一直嘮叨，要我去拜訪他，看在老同學的情面上，他應該是會幫忙的。我一點把握也沒有，不是我不想去，只是硬著頭皮去，要是被拒絕了呢？我可眞受不了，何況在以前他根本是讓我們瞧不起的小角色呢！

工作沒有好的著落，實在也不想回家，家裡現在愁雲慘霧，一家人都是副驚惶的樣子，煩死了。我的大女兒居然說要辦休學去做女工養活我們，她一面哭一面說，表情和說的話都像電視劇裏的臺詞。「眞要命！」我逛呀逛的，就來到本市的運動場附近，實在是無聊極了，看看運動會消遣、消遣算了。運動可以激發鬥志，我以前還是徑賽的高手哩。我到售票口買了張前排特區票，像我這樣曾經有點地位的人，應該是坐在前面幾排的，甚至還可能安排在司令臺上呢。剛一進場運動場內的景觀便使我心胸一震，觀眾眞是多，黑鴉鴉的圍繞成廣大的圓弧型，彷彿間有種君臨天下的感覺出現在我心裏，那些發出巨大嗡嗡聲的群眾似乎都在看著我的出現，對我行著注目禮。眞奇怪啊，本市怎麼會有這麼多沒事的人，在應該工作的時間來看比賽。我再仔細的觀察了一下才知道，可容納一萬多人的場內，大部分是義務性的觀眾，是各校拿牌子，排字幕的學生們。

運動場內進行著撐竿跳，跳遠和不知幾百公尺的徑賽。在本市待了許多年，我大概是第二次走進這座運動場，人群裏面幾乎也沒有認識的人。我無聊的瞪著場內的活動。廣播機播出一位聲音尖銳小姐的聲音，她說是各項比賽進入決賽的時候了，名次不斷的報出來。一群群體格粗壯，皮膚黝黑的運動員，在鮮艷的跑道上奔馳。啦啦隊此起彼落的歡呼，鑼聲鼓聲一波又一波的從各角落響起。四百公尺，八百公尺，五千公尺……勝利者高舉著手，激烈運動後痛苦的表情，扯著他們的臉孔。複賽，決賽，令人屏息，心臟都快停止的出發起跑，一群群年輕人拚命的向終點衝去。廣播小姐在百忙當中說：全國田徑協會會長，市長先生，

ＸＸ會主席……出席了，請大家鼓掌歡迎——。義務觀眾們紛紛敲鑼打鼓，在指導的指揮下發出最大的歡呼聲，聲勢浩大，令人精神一振。排字的學生們也在指揮下排出碩大「歡迎貴賓」的字幕。

「……貴賓們，我們的馬拉松選手，在三個多小時前出發，第一名的選手即將在五分鐘後進場，請大家注意啊——」

我在座位邊撿起一張揉皺的節目表想起學生時代的我是短跑健將，也曾在許多比賽裏奮勇的衝線，在掌聲裏驕傲一陣子。我的位置就在前面的七排特區，這裏的人差不多剛坐滿，但是我想應該是有很多人不屬這區的，是因爲貪小便宜坐進來的。由於和跑道靠得近，甚至可以感覺到運動員呼吸的熱氣。唉！我就夾在這麼多陌生的人群裏，本來我應該有機會坐在司令臺臺那上面的。在那裏面我可以看到幾張似曾相識的面孔，有一位是青商會會長，那個穿制服的是警察局長，另外矮小戴副墨鏡，穿體育服裝的無疑是廠長大人……。他們的面孔嚴肅，或帶著優越式的微笑，「首長」們把手插在腰際，挺著腰，愉快的看著場中的競技。許多項比賽結束，田徑場中逐漸空出來。人們在迎接，等待馬拉松選手進來。我的位置在司令臺的左方六十公尺處，選手們將由司令臺右方跑進來。我這個位置的人們可以在最後衝刺時看到這一位跑了二十多公里的英雄。

「大家注意，我們的選手可能會打破全國紀錄，他馬上要進場了，希望大家給他加油！他馬上要進場了——」

忽然，許多人開始往前擠，站起來要擠到最前排。

「快了，快了，加油！加油，馬上就要進來了！」

廣播小姐尖銳的聲音，急促的催著大家。

這些人實在有點莫名其妙，坐在原來的位置不是也看得很清楚嗎？幹什麼要往前擠，人愈來愈多，我也不知怎麼的生起氣來，站起來也跟著往前擠。說實在擠過來的這些傢伙，有的樣子實在很粗野，猥猥瑣瑣，一點也不懂得禮貌，和我這類的人完全不同。我往前擠，有個傢伙甚至用胳臂拐我，手肘撞在我的肋骨上，使我胸前悶了一口氣，差點喘不過氣來。可是我不服氣，心裏已夠窩囊了，還要受他們的氣，要是以前的我是絕不會這麼做的，我是有身分的人。我拚命的往前擠，很多人對我發出「嘖！嘖」的聲音。有人用腿頂我。最後我終於擠到最前排，靠在場邊的欄杆上，夾在兩個傢伙中間，這裏只要一跨步就能跳進場內，是運動員最接近的地方。

和我貼得緊緊的是小販模樣的傢伙，樣子好似廠裏伙食團洗碗雜工阿財。這傢伙身上一股汗臭味，脖子下兩三道黑圈，嘴裏嚼著檳榔，不斷惡意的用肩膀聳我。

「我們的選手進場啦——」

「喔——」

「嘩——」

一個跑得搖搖晃晃的運動員，緩緩的進入場內。運動場內歡聲雷動，隔壁這傢伙故意用腳踏我，我彎起腿頂他，他用肩膀擠我的胸窩，我不舒服極了，呼吸不上來，我向後仰，後面的人不耐煩的「呀——」的一聲把我硬推回來。我又氣又痛又急，不舒服極了，渾身又熱又癢，汗珠流到眼珠裏，手卻抬不上來，卡在隔壁傢伙的腰上，又一陣人潮的推力從後面傳來，我的頭被壓下去，鼻孔貼在隔壁傢伙汗濕粗硬的頭髮上，一股股頭油的臭味鑽進鼻孔裏。我想大叫，想打人，想逃走，我受不了了。除了前面，短時間內我絕不可能退回去，密密麻麻的人塞滿了所有的空間。我走不了的。

「加油！加油！」

司令臺右側那區的觀眾同聲一氣的發出喊聲，爲這第一名的選手高喊，這傢伙舉起手向觀眾揮動，觀眾的歡呼聲更大了。

「跑呀，跑呀，快要打破全國紀錄了——加油！加油！衝呀——衝呀！」

廣播小姐尖聲急叫，嗓子發出嘶啞的聲音，司令臺上的那些傢伙都站起來了。

勝利者跑了一百多公尺的時候，全場進入興奮的高潮。忽然間，一個青色的影子從司令臺右區那兒翻出來，我淚眼模糊，又刺又痛得眼睛卻沒有漏掉這個鏡頭。馬拉松英雄的後面突然出現了一位身穿超人裝的人物，他的胸前繡了一個大「A」，繫黑色寬皮腰帶，背後一條大紅披肩。臉上掛著一副眼鏡，頭髮凌亂，他拚命的跑。想追過勝利在望的英雄，「超人」跑步的姿勢一拐一扭，姿勢滑稽笨拙，跑了一段他忽然又被身後的紅披肩絆倒，跌了一跤。

「嘩——哇——」

「喔——哈哈——」

群眾騷動了起來，議論紛紛。有許多人大笑了起來。司令臺上有人在叉著腰指指點點的大叫大嚷。馬拉松英雄繞完大半圈跑過我面前，我忽然有了股莫名的衝動，腦子裏一陣陣轟然作響，眞的要幹嗎？眼珠太痛，太不舒服了，眞的嗎？媽的，幹了，眞的嗎？我用盡了全身氣力，掙開緊貼在身上的鄰人，伸手抓住欄杆，我往田徑場跳了進去，「超人」阿A即將跑到我的身前。附近一帶的人，把眼光全部投注在我的身上，他們總算認識我了，剛才擠在我旁邊的傢伙一定嚇壞了，我狠狠的揉了幾下眼珠，擦了擦身上的臭汗，那傢伙絕對沒有想到站在他身邊的是什麼角色。阿A跑過來了，我站在跑道邊，握著雙拳，他向我點了個頭，眼珠裏的意思好像是說，「我了解你，老朋友，來吧！」我握緊拳頭跟在他身後跑了起來。七、八個警察朝我們包圍過來，他們一隻手扶著頭上的帽子，一面向我們追來。我另外也看見整個運動場各角落也陸續跳出好多人，繞著運動場地跑過來。我跟隨著「超人」阿A，拚命的往終點線跑去。終點線就在司令臺那兒，我咬著牙，滿臉不知是汗水還是淚水，我們迎著一波又一波觀眾們巨大的歡呼聲，拚命的衝過去。我幻想著四面的孩子們正排著「阿A加油！」「阿A萬歲！」的大字幕。……。

陽羨書生

吳均

陽羨❶許彥，于綏安❷山行，遇一書生，年十七八，臥路側，云腳痛，求寄鵝籠中。彥以為戲言。書生便入籠，籠亦不更廣，書生亦不更小，宛然與雙鵝並坐，鵝亦不驚。彥負籠而去，都不覺重。

前行息樹下，書生乃出籠，謂彥曰：「欲為君薄設❸。」彥曰：「善。」乃口中吐出一銅奩子，奩❹子中具諸餚饌，珍羞方丈❺。其器皿皆銅物，氣味香旨，世所罕見。酒數行，謂彥曰：「向將一婦人自隨，今欲暫邀之。」彥曰：「善。」又於口中吐一女子，年可十五六，衣服綺麗，容貌殊絕，共坐宴。俄而書生醉臥，此女謂彥曰：「雖與書生結妻，而實懷怨。向亦竊得一男子同行，書生既眠，暫喚之，君幸勿言。」彥曰：「善。」女子於口中吐出一男子，男可二十三四，亦穎悟可愛，乃與彥敘寒溫。書生臥欲覺，女子口吐一錦行障❻遮書生，書生乃留女子共臥。男子謂彥曰：「此女子雖有心，情亦不甚，向復竊得一女人同行，

---

❶陽羨：縣名，即今江蘇省宜興縣。

❷綏安：縣名，在今宜興縣西南八十里。

❸薄設：薄，自謙之詞，即簡單、不豐盛。設，準備。薄設，準備簡單餐飲。

❹奩：音ㄌㄧㄢˊ，盛物小器。

❺珍羞方丈：珍羞，珍品美味。方丈，一丈見方，形容珍羞豐盛。

❻行障：屏風一類的物品，因可以隨地移置，故稱行障。

今欲暫見之，願君勿洩。」彥曰：「善。」男子又於口中吐一婦人，年可二十許，共酌戲談甚久。聞書生動聲，男子曰：「二人眠已覺。」因取所吐女人，還內口中。須臾，書生處女乃出，謂彥曰：「書生欲起。」乃吞向男子，獨對彥坐。然後書生起，謂彥曰：「暫眠遂久，君獨坐，當悒悒❼邪？日又晚，當與君別。」遂吞其女子、諸器皿，悉納口中，留大銅盤，可二尺廣，與彥別曰：「無以藉❽君，與君相憶也。」

彥大元❾中，爲蘭臺令史❿，以盤餉侍中張散。散看其銘，題云是永平三年⓫作。

❼悒悒：音ㄧˋ，悶悶不樂。
❽藉：贈送。
❾大元：即太元，晉武帝年號。
❿蘭臺令史：官名，東漢設置，掌管圖書及書奏之事。
⓫永平三年：永平，東漢明帝年號，三年是西元六〇年。

窺夢人

顏崑陽

1

我認識「窺夢人」，這是眞的。

我並不打算寫一篇純屬虛構的小說，也不預備向你講個查無此事的寓言。我想告訴你的，都是平常發生在你我身邊的事。

這些事，全是眞的。或許，你不相信，硬說是假的。恐怕我們免不了要爭辯起來，但是語言最靠不住了，人們從未曾拿它弄清過任何眞相呀！還不相信嗎？那麼，我們就活在快被如浪的語言溺斃的世界，誰又確實弄明白過，那些每天口沫橫飛的人，背地裡想的是什麼，幹的又是什麼！

這世界，任何一件事都只能各說各話，「眞相」就讓「自以爲是」的人去相信吧！假如，這世界果然事事都有眞相，許多人將無法活下去。坦白承認吧！我們之所以還能放心地吃飯睡覺，完全是因爲這世界不會眞正的透明。

那麼，我說我眞的認識「窺夢人」，你根本無須與我爭辯，就當我在「痴人說夢」也罷；這世界向來是眞假難辨，因此聰明的人都學會沉默。

2

我們都喊他爲「窺夢人」，至於「窺夢人」的姓名，竟已被遺忘而不可考。問他，他有時一手指天一手指地，沉默而不答；有時則隨便胡謅一個姓名給你，什麼「孔仲尼」、什麼「馬基督」、什麼「牛七力」、什麼「李王八」……，然後反問：「你非姓X不可嗎？」

「窺夢人」究竟從哪兒來？有沒有父母兄弟、妻妾兒女？也同樣一片空白。曾經有人費了不少工夫，從各種管道調查他的身世，卻空白還是空白，就像一口不知隱藏何物的黑箱。他一向不回答任何有關他的問題，只是笑笑地重複一句誰都聽不懂的話：

每個生命都是一口黑箱，而且必須是一口黑箱。

這句話，我開始也同樣聽不懂。後來，因爲幾個朋友的生命如黑箱被揭開蓋子而死亡，甚至「窺夢人」也在娶了妻子之後，由於某個與生命黑箱有關的事故而自戕，我才如禪修之頓悟。眞的，對任何生命而言，「幽暗」都是一種「必要」，被曝曬在陽光下而裡外透明的生命，都將在他人炯然的注視中枯萎。

對於「窺夢人」之死，我沒有悲傷，那不僅因爲他並非我的親人或相交莫逆的朋友，更因爲他只有死亡，才能驗證自己所說的至理名言：「每個生命都是一口黑箱，而且必須是一口黑箱」。這就讓人覺得，他的死亡有些滑稽，而滑稽之中又有些淚水悄悄地淌了下來。

從他身上，我們看到人生恍然是一場如眞似假而哭笑不得的遊戲。

3

我之遇見「窺夢人」，起始就弄不清究竟是眞實或幻夢。

某個下雪的傍晚，我走進一間荒敗的澡堂，它的板壁朽壞而破了幾個大洞，從右前方的一處洞口，可以看到遠方積雪的山坳間，有一座紅瓦的寺廟。寬大的澡池裡，貯滿乳白色的浴場，但卻空無一人。池面氤氳的水氣，飄浮如輕盈的棉絮。

我赤裸著身子，斜靠池邊，坐進浴湯裡。熱騰騰的水溫，彷彿千萬隻手搔抓著靈敏的皮膚，我感覺到胯間有物暴脹。這時候，澡池中央，忽然冒出一顆光頭，接著便看到雙峰堅挺的乳房，是個姣好的尼姑！她嘴角燦著微笑，像一條肥腴的錦鯉向我游了過來。

忽然，我看見板壁的破洞間，露出一張非常蒼白的臉龐，圓睜睜的兩隻眼睛，沒有瞳仁，好似煮熟的魚眼。我驚嚇地「啊」了一聲。

妻就躺在我身邊，和我一樣赤裸著身子，頭髮卻披散在籐枕上。她的臉色略顯酡紅，睜大眼睛注視著我，「作夢了！」她說。

我沒有告訴她關於澡池裡裸尼的事。她是個虔誠的佛教徒，準會呵責我如此的褻瀆。假如，我和她爭辯，只不過是個夢而已，怎麼能夠當眞。然而，在情欲與宗教上嚴重冒犯到她的這樣一個夢，她絕不會理智地去分辨眞假。說不定，還一口咬定：「夢比這現實更眞呀！」

我倒是向她說，看到一張沒有血色的臉龐、兩隻沒有瞳仁的眼睛，她直呼好可怕好可怕，並且安慰我，只是個夢而已，世界上不會眞有這樣的人。人們總是選擇他想相信的去相信，而不想相信的事物便認定是假的。

其實，我也如妻一般認爲，世界上不會眞有那樣的人，直到遇見「窺夢人」，才開始懷疑，澡堂裡的裸尼以及那張臉龐、那雙眼睛，究竟只是一場夢或眞實發生過的事？甚至，當時自以爲醒來，妻躺在我身邊，說我做了夢，並與我談論這場夢，如此情境，究竟是在夢中或現實的世界？

我在都城一座壅塞著人潮的天橋上遇見他，一張沒有血色的臉龐，兩隻沒有瞳仁的眼睛。他就站在夕陽軟弱的橙光中，薄暮如紗的煙塵，讓他的身影恍然在大氣中飄浮著。這是在夢裡嗎？

「夢與非夢，怎麼分辨！」他說。從前，有個樵夫到山野間去砍柴，遇到一隻驚慌的小鹿。樵夫將牠獵殺，但因爲他得繼續砍柴，就暫時把鹿藏在乾涸的窪地裡，並覆蓋幾片蕉葉，等樵夫砍完柴，卻已忘記而找不到藏鹿的地方。

「難道這只是一場夢嗎？」他眞的迷糊了。

回家途中，他將這件事說給人們聽。有個鄰人依照他所說，竟找到那隻覆蓋在蕉葉下的鹿，很高興地回家，告訴妻子說：「那個樵夫做夢獵得一隻鹿，而忘記藏在哪兒；我卻把牠找到了，他的夢竟然是眞的！」妻子半信半疑，說：「說不定是你自己夢見樵夫得鹿吧！樵夫在哪裡呢？不過，你的確把鹿扛回家了，你的夢竟然是眞的呀！」鄰人說：「管他是誰在作夢，我得到一隻鹿卻是千眞萬確。」

樵夫回家之後，非常懊惱，晚上眞的作了一個夢，夢見藏鹿的地方，也夢見鹿被那個鄰人找到而扛走了。第二天醒來，依照夢境尋去，鹿果然就在鄰人家裡。他非常生氣，一狀告到官府去。

「窺夢人」說了這則《列子》裡的故事，然後問我：「夢與非夢，怎麼分辨？」

此刻，我眞的迷惘了。「澡堂」與「天橋」，哪一個是夢，哪一個是非夢？而我卻同樣看到這張臉、這雙眼睛。假如「澡堂」是現實，那就是「澡堂」中的我夢見「天橋」上的我；假如「天橋」是現實，那就是「天橋」上的我夢見「澡堂」中的我。而裸尼呢！妻子呢！哪一個才是現實中與我同在的女人？哪一個只是夢裡無明的幻象？我該相信什麼？我不該相信什麼？倘若曹雪芹感悟到的是「假作眞時眞亦假」；那麼，此刻我感受到的卻是「眞作假時假亦眞」。然而，每一個人卻都自認爲在「眞象」之中而看到了「眞象」！

其實，這整個經過，最讓我害怕的還不是夢與非夢、眞實與虛幻之難以分辨；而是「窺夢人」竟然能夠在我這兩個世界中自由進出，「我在一個荒廢的澡堂裡看過你」！聽到他這句話，我不是訝異，而是驚恐。

我一向認爲，生命存在的眞假無從辨明，也不重要。重要的是彼此之間，允許自我「留白」；讓每個人在相互瞪視之外，也可以孤獨地躲進一個任何他者所無法侵入的世界。那也是我們可以安全地生活一輩子的理由。假如每個人都是「窺夢人」，我不知道誰能放心地過完這一生？

4

我和「窺夢人」坐在都城東北邊山腰間一棵白雞油樹下的磐石上。都城已在如墨的夜色中，變成一口巨大的黑箱。箱面上鑲嵌著熠耀的明珠與鑽石，那是可以照灼幽暗的燈火。但是，生命的幽暗處卻向來是任何亮光所照灼不到。它在光之外，像是永藏不露的山陰，與山陽共成無法分割的山之實體。

深夜裡的都城，是一口巨大的黑箱，即使通明的燈火也難以照灼這黑箱中許許多多生命的幽暗。我們所能看到的只是黑箱的外殼。然而，因爲如此，所以都城繼續存在，人們繼續存在。

「窺夢人」彷彿融進夜色中，變成沒有實體的靈魅。他的眼球不長瞳仁，在白天，看起來像顆煮熟的魚眼。這刻在夜裡，竟然泛著曖曖的燐光。他低俯身子，面對腳下如黑箱的都城。眼中的燐光像五月的螢火，閃爍不定。

「搭著我的肩膀，閉上眼睛；我帶你到幾個用眼睛看不到的地方。」他說。

請原諒我吧！我眞的無意去揭開任何一口生命的黑箱。然而，隨著「窺夢人」，我侵入了幾個生命的留白，看到了平常眼睛所看不到的景象。當時，我並不知道身在哪裡，只以爲那是眞眞切切發生在這現實世界中，卻叫人震驚而難以置信的事。之後，才知道我們進入了某人的夢境，窺視了連他最親暱的人都無法察知的祕密。

其中，有些我認識，有些我不認識。不認識的，我就不說了；認識的，就挑一個說說吧！但我必須姑隱其名，你千萬不要繼續追問，那個人究竟是誰？

天似黑鍋，頂空卻破了一個大洞，散落如血的光芒。大地是滾滾的濁流，什麼都被淹沒掉，只有一座金色的高樓聳立水面。頂層的陽臺上，一把長背的交椅，C君端坐，彷彿冰冷的石像。他的右手拿著酒杯，左手摟著一個妖冶的女人。

陽臺前端，有一把鐵梯垂懸到水面上。水面上，一個肥胖而衰老的男人，正在滾滾濁流中載浮載沉，赫然是C君的父親。他不停地揮手向C君求救。但是，C君卻只是冷漠地瞪視著他——這個C君叫他「父親」的男人。

C父拚命地向自己金色的樓房泅泳，終於攀到了梯子。他疲倦而興奮地往上爬，眼看就要爬到梯子的頂端。C君站了起來，臉無表情，抬起右腳將梯子踹倒。

「窺夢人」在我身邊，漠然地看著這一幕悲劇，或許是他看多了，或許這些人這些事都與他無關。但是，我就不能那樣淡漠，C君是我最好的朋友，很知名的大學教授，向以孝悌爲我輩所敬重。C父則是一個擁有許多財富與女人的商賈，生了幾個不同母親的兒女。

C君怎麼可能做出這樣的事，但他卻在我眼前發生了。之後，我明白那是C君的一場夢，是C君生命黑箱中另一個幽暗的世界，我不應該侵入。然而，我卻已經侵入，揭開了黑箱蓋子的一個小縫。此後，每當見到溫文儒雅的C君，在眞假難辨中，竟感到一種奇異的陌生，甚至摻雜著些許的厭惡。

5

昔者，有「狐疑」之國，王忌其弟謀反而苦無稽焉。某日，一士從西方來，自謂能窺人之夢，以伺心機。王遣之偵察其弟，果得叛變之夢，因以爲據而殺之。復疑其弟魂魄爲亂，懼而不能自解，終癲狂而死。

我並非在講一個查無此事的寓言，這是平常或至少可能發生在你我身上的事。

自從「窺夢人」在我們的群體中出現，這世界就忽然複雜了起來。許多傢伙開始在最親近的人身上貼問號，「窺祕」是一種心靈自體潛生的病毒，被誘發之後，便很快的擴散開來。很多人都想揭開所親者的生命黑箱，讓他成爲一個完全的透明體。因此，他們都以很昂貴的代價，請求「窺夢人」的幫助。有夫窺其妻者，有妻窺其夫者；有父窺其子者，有子窺其父者。有至交之相窺者……而人人自以爲已看清對方生命的「眞象」。

他們究竟看到了什麼？誰都沒有說明白。但是，據我所知，已有好幾個人，卻因此而夫妻、父子、朋友彼此離散或相殘。

「窺夢人」總是漠然地進出很多人的夢境，並以此異術而致富，於二十世紀末，在都城南區一座天主堂中，由安樂神父福證，而與鶯鶯小姐結婚。

婚後不到兩個月，「窺夢人」便開始酗酒，爲什麼會這樣？他始終沉默，但臉色明顯地堆積著層層的怨苦。後來，禁不住我的關心與追問，他終於吐露了實情：

「鶯鶯的夢裡有好幾個男人！就是沒有我。」

他每個晚上，幾乎都在窺視鶯鶯的夢，而再也無法如窺視他人之夢那樣漠然。

「你就別進入她的夢裡呀！」我勸他。

「既然是X光，能忍得住不透視嗎？」他搖搖頭。

終究，「窺夢人」無法忍受這樣的煎熬，於二〇〇〇年「愚人節」當夜，從鶯鶯的夢裡出來之後，服毒自殺，遺書只留下二句他曾經說過的名言：

每個生命都是一口黑箱，而且必須是一口黑箱。

他早就這樣說了，卻沒有做到，竟然必須滑稽而悲涼地以自己的生命去驗證斯言！

我得再強調，這不是一篇純屬虛構的小說，也不是一則查無此事的寓言，而是平常發生在你我身邊的事。但是，請別找我爭辯它的眞假。說不定你身邊就有一個「窺夢人」，只是你沒有覺察罷了。

——二〇〇〇年四月二十七日《聯合報》副

蘭熙

齊邦媛

一九七二是個奇妙的一年。那一年在臺灣，我和朋友們想的和做的都是開創的事。潛在生命力之旺盛，總令我想起有一年初春，在瑞典一個看來光禿禿的小樹林裡，熬過了長冬的友人說，「靜靜聽，樹葉裂芽出來的聲音！」

那一年，第一代的新詩、散文和小說已經結實纍纍，年輕的一代如白先勇、黃春明、王禎和、王文興、楊牧、吳晟……的重要作品已經出版。大陸正爲堵住文化大革命的腥風血雨而關緊了門戶。臺灣的文學作品以其實力成爲海內外文壇閱讀、研究華文現代文學的對象。我已開始爲國立編譯館編譯臺灣文學選集的英文本；在臺大外文系參加了與中文系合作的中華民國比較文學學會和《中外文學》月刊的創辦。同年秋天，林語堂先生主持、殷張蘭熙主編的《中華民國筆會英文季刊》（*The Chinese PEN*）發行了創刊號，日後創刊《天下雜誌》的殷允芃是蘭熙當時的得力助手。差不多同時，吳美雲與黃永松、奚淞也出版當年極爲少見的大版面、彩色圖片的《漢聲》英文雜誌。那時我們有一個單純的共同目標：爲臺灣在國際上發聲。因此在資料、人才、文字、甚至編印方面互相支援鼓勵。《漢聲》是唯一在臺灣本土站上了醒目的地位，對大眾文化產生普及影響的。以評論介紹臺灣文學新作的《書評書目》月刊，由隱地主編，在洪建全基金會資助下亦充滿了理想地在這一年九月創刊。也是這一年，林文月開始編譯《源氏物語》，由新創立的《中外文學》逐月登出，六年後以五冊形式出書。那些年我們以文會友，無數的電話、聚會、短簡、長信……有一次我與吳美雲在舟山路相遇，兩人坐在僑光堂的石階上談了兩小時，驚覺天已黑了。多麼意氣風發、美好的創業心情！

國際筆會的宗旨是促進世界和平和了解，但是自二十世紀初成立以後，經歷兩次世界大戰，飽受政治挫阻，至一九四六年在中立的瑞典重開，而播遷來臺的中華民國筆會直至一九五九年才重回大會會場。我們的英文季刊是經過數年醞釀才創辦的，而至今是一百二十多會員國中最穩定持久的文學作品定期刊物。林語堂先生回臺定居，出任筆會會長，委任蘭熙主編，說：「Now, Nancy, You do it!」並不僅因爲英文是她的母語，不僅因爲她誠懇認眞，而是因爲她已經出版了三本臺灣文學英文本：一九六一年的小說和詩合集，《新聲》（*New Voices*），白先勇、夐虹、王文興、陳若曦、葉珊等十四位作家，最「老」的只有二十七歲，葉珊二十一歲！第二本是林海音的短篇小說集，《綠藻與鹹蛋》（*Green Seaweed and Saleted Eggs*），一九七〇年出版，她自己的詩集《*One Leaf Falls*》次年出版。她已孤軍奮戰多年了。

之後二十年，蘭熙的名字和季刊幾乎是不可分的，她親自選稿、尋求譯者（她自己譯每期的詩）、讀譯稿、校對、發排……只有一位助理協助。二十年間從未自我宣傳、追逐著季節的腳步，默默行路。行者默默。

創刊後三年開始用藝術家作品爲封面，她又增加了另一個領域的挑戰。早期在這方面，王藍協助最多。彭歌因熟知國內外文壇作家，在國際會議前後的評估、計畫、聯絡更是她最大的支持力量。而我，只在季刊的選文、翻譯文字和譯者的「發現」方面，作了二十年盡心的義工。蘭熙有一種令人不能拒絕的魅力，她把對文學的熱愛化爲虔誠的奉獻，傾注在筆會季刊上。這種奉獻精神，超越了她溫暖誠懇的笑容，忽視了世間的得失，自有它堅韌得近乎執拗的說服力。

「蘭熙的電話！」在我生命中密集地響了二十多年，似乎從未掛斷。在我們戲稱爲「熱線」的兩端，兩個人好像坐在編輯臺前，紙筆在手，大大小小的決定，字字句句的斟酌……這樣常年沉迷，樂在其中。

電話解決不了的時候，我們便需見面，譬如書、稿的交付，常常需與新「徵召」的譯者見面，能作中國文學英譯的人非常稀少可貴，只有來臺灣進修中文或大學教書的少數幾位，現在美國金字招牌的葛浩文（Howard Goldblatt）的第一篇中譯英試筆即是一九七四年爲筆會季刊夏季號所譯思果的〈隔〉（Barriers）。他與蘭熙合作的陳若曦的文革小說《尹縣長》（*The Execution of Mayor Ying*）一九七八年在美國出版是當年文壇盛事。至今已爲季刊譯詩數百首的陶忘機（John Balcom）和我們初次見時只有二十六歲。一九八〇年初期，談德義神父（Pierre Demeres）爲我們介紹的康士林（Nicholas Koss）和歐陽瑋（Edward Vargo）和同在輔仁大學任教的鮑端磊（Daniel J. Bauer）教授等，因爲他們多年來「拔筆相助」，一九八七年輔仁大學初次申請設立翻譯研究所受阻時，蘭熙與我曾向教育部力爭，獲准成立。爲臺灣培育文學翻譯人才，一直是我們共同的期望。創所以來，他們第一二屆畢業的研究生吳敏嘉、杜南馨、鄭永康等已成爲季刊得力譯者，多年的期待已漸漸實現。

隨著季刊的生長，我們有從不枯竭的話題。但是我們的聚會到底不是工作彙報，而是友情的歡聚。兩個沒有心機，從無猜忌的朋友，有共同的興趣，相近的人生態度，了解由淺入深，結爲知己。那二十年，一生中最好的歲月，也是我教學生涯的黃金歲月，常常在下課鐘聲中戀戀不捨地離開講臺，意猶未盡。那些年，我所看到的蘭熙是一位很快樂的忙碌女子。我看到她每年組團參加國際筆會在全球各地召開的年會，看到她行前催集論文、準備禮物；到會場熱情誠懇地「結交天下士」，投向那麼多伸出的友誼之手。大陸代表在文革後、天安門屠殺前約有十年重回大會，多次公開排擠我們。蘭熙收起她自然溫婉的笑容，登臺發言憤慨迎擊，保衛我們的代表權，贏得全場掌聲。他們也許並未放棄排出我們的企圖，我們也從未鬆解自己的會籍立場，但是由於蘭熙建立的友誼和季刊三十年來如此穩定，以豐富的內容所構成的形象，已立於不易撼動之地。一九九八年我在芬蘭首都機場與一位瑞士會員和泰國會員同車進城，他們說：「Nancy好嗎？無論發生什麼事，我們支持你們！」

我也常看到宴會桌上歡宴國際文友的蘭熙，眼睛裡的笑多於唇上的笑，對人間感情那般信託。與她在筆會多年開會的朋友到東方來，會爲了她專門到臺北停留兩天，秘魯的尤薩（Mario Vargas Llosa）曾兩次來訪，第二次在他競選總統未成之後，那時蘭熙已病，他對記者說，來到臺灣未能看到她，是最大遺憾。有一年夏天她趕到巴黎去看望病重的法國筆會會長戴維年（Ren'e Tavernier），希望讓他在生前知道我們多麼感謝他多年在大會對我們會籍的支持。她的誠意令戴氏家人也感念多年。我也看到一九八八年她邀請英國筆會會長Francio King和總會秘書長Elizabeth Paterson等十一位多年支持臺灣的文友來臺訪問，她的客廳已座無虛席的那個晚上，她的丈夫殷之浩先生從樓上書房走下來，坐在樓梯上，滿臉笑容，滿臉以嬌小妻子爲榮的愛。世上幸福的婚姻中，女子能兼顧一個成功的事業，談何容易！蘭熙有這樣溫厚的愛，得以充滿自信地爲筆會奮鬥二十年，季刊能持續出版，殷先生資助最多，大大小小的事，蘭熙開口便好。我接主編後三年，他所創辦的浩然基金會開始每年補助出版的一半經費，眞正是他們夫妻愛情的延長。殷先生雙手開創大陸公司的大事業，對臺灣的政經文化也有濃郁的關懷，一九九〇年創立浩然研習營，邀請文化、政治、經濟方面卓然有成的專家學者演講、討論臺灣的發展，爲期二十天以上，目標是培訓有見解、有學養、有擔當、有膽識的領袖人才。臺灣與海外參加的已有數十位，對政經方面有相當影響。可惜只舉辦三次，即因殷先生罹病而停開。我記得蘭熙每次回來都有說不完的感想。

最初認識蘭熙是她到臺中我家「看」我的時候。正是杏花春雨的季節（許多年後她告訴我，在整理舊日曆時，找到她那次臺中之行是一九六四年四月），隔著我那開了半樹燈籠花的小院子，我看到日式的矮門外一位娟秀的女子，身旁是一個高大的男學生正在按門鈴。迎賓坐定，她說是殷作和的母親。看了他的學校，想來看看他的英文老師是什麼樣子，他不需要加修英文，爲什麼選我的大二英文。——我不知道她眼中的我是什麼樣子，但是我記得她有些藍色的眼睛很配那件淺紫藍色的衣裳，她誠摯自然的笑容也沖淡了我被看的困窘。我記得自己說，也許是我選的教材比較有意思吧，譬如美國甘迺迪的就職演說，黑人領袖金恩的〈我有一個夢〉，胡適去世前最後的演講詞，比較中西文化的差異……還有，狄金蓀與佛洛斯特的詩。這些資料是我在臺中唯一英文書的來源，美國新聞處找來的。在那個時代，算是對傳統教材的一種「突破」。蘭熙也告訴我她在臺北懷恩堂開英詩班和在國際婦女會推動文學交流的心得。那場原是出於好奇心的家長訪問，竟穿透了單純的「看」與被看的層面，成爲我們半生友情的基本形式，只是電話大量地代替了好似牧歌時代的門鈴。

不久我搬回臺北，最早租屋在金華街，竟在街角遇見蘭熙，兩個人牽著相同的大耳金黃小獵犬，原來是近鄰，兩家只隔著淡江城區部大樓。不久我們開始在一些文友聚會中相遇。初識臺灣文壇的蘭熙和剛由外縣市搬來的我，同是「新生」，經常坐在一起。見面多了，常常發現共同的看法。對英文名著，尤其英詩的愛好，更成爲我們共同的語言，也是我們友情和事業的又一塊基石。

一九七八年底林文月和我參加教授訪韓團回臺，由於半個月休戚相共，成了可以談心的朋友。蘭熙和我的聚會也常邀她和海音參加。四個人談三種語文的互譯，海音說很有點「洋味兒」。漸漸地，我們的四人聚會成了默契，每隔三四個禮拜即會有一種自然韻律的感覺聚上一場，在各種可愛的小館子裡，興高采烈地說最近做了些什麼。蘭熙說季刊的事，海音說純文學的新書，文月說新譯的《枕草子》，我則說近日爲新人新書寫的評文……吃了些什麼我都不記得了，只記得各言爾志的舒坦和快樂，每次分手總感到言猶未盡，時光飛逝的惆悵。有幾次文月邀我們去她家正式赴宴，她與郭豫倫先生各出名菜，在她近年出的《飲膳札記》中列出菜單，還有一張難忘的宴會照片，文月、海音、楊牧、胡耀恆、蘭熙和我由兩旁簇擁著臺靜農老師。看看日期竟已二十年！童年時讀到一本西班牙散文，終句說，「無義的時光啊，你做了些什麼事？」那時不懂，卻記住不忘，如今卻是痛切地明白了。

一九八五年我在師大人行道上被摩托車撞成重傷。蘭熙進了三總病房，看到被包得像木乃伊似的我，就哭了起來，反倒是我勸她，「看，我還活著！」之後幾日，她每日都流淚不已，我告訴她，手術前後，疼痛實在難熬，最痛的時候，默誦英詩保持心智清醒，最常背的是華茲華斯（Wordsworth）的*A Slumber did* *my Spirit Seal*（《如何讀西方正典》譯作〈彼時，昏睡遮蔽了我的靈智〉），總是記不清第五和第六行，請她回去找出給我。這是我倆的收淚秘方。手術後十天，她和我開始編德文本的《臺灣短篇小選——源流》（*Derewige FluB*）的篇目），以便柏林自由大學的郭恆鈺教授早日進行譯成德文，接洽在德國出版，第二年五月筆會在漢堡召開，「我們臺灣」文學有了德文本，爭取會籍選票更有把握。蘭熙一手握筆，一手持俯身在我病床欄杆上的情景，可惜沒有留下照片，雖然那是醫生和護士眼中的奇景。回家坐在輪椅上我用左手勉強寫字，幫蘭熙譯完《城南舊事》最後兩篇，寫了中、英文序，完成時，我們四個人坐在我餐桌旁，用衷心的歡笑慶賀這份友誼的果實，海音、文月對我左手寫的英文特別「佩服」。蘭熙在二十多年前英譯了第一篇〈冬陽・童年・駱駝隊〉，到了一九九〇年香港中文大學出版社出版英文本，終於達成了她與海音的心願。去年此書又出版了對中英對照本，封面和編排都有新貌。出版社由香港航寄兩本，請我轉交海音家一本。夏先生也已無力在病中翻閱。「十年一覺城南夢」，唯望在讀者手中此書長存。

天下當然沒有不散的宴席。雖然我們四人的歡笑並沒有因蘭熙的病而遽然停止。她最初只是有時記錯時間，走錯餐廳，忘記別人的姓名，我們笑她好命，家裡外頭都被人照顧慣了，剛過了七十歲生日，有權利作「選擇性記憶」。而我相信，她來聚會，心情好有助於頭腦運作。只是每次聚會我會去接她，然後送她回家。記得最後一次在海音家。我的學生徐松玉送我一頂假髮，說可免染髮之苦，我帶去想研究怎麼戴，她們三人大感興趣，在我頭上大大發揮高見，東拉西攏，怎麼都不順眼。十多年來，我們聚會總有說不完的話，總來不及談衣飾髮型，這頂假髮可是新鮮事，四個人對著鏡子笑成一團，海音拿了照相機猛照，她說，「你們再笑，我都拿不穩照相機了。」剩下只有蘭熙和我梳攏假髮的時候，海音在我頭頂上說要為她出一本新書，文月就說她對新書編印的構想。

一個月後我們再聚，初校本已印出來了，海音問文月可否在一週內校好，我笑說大概三天就會校好。果然，從談到書，加上郭豫倫先生的封面設計，兩個月不到，極其雅致的《和泉式部日記》就問世了，是純文學出版社最後出的幾本書之一。那幾年我有時戲稱她們爲「急驚風」，其實那時海音已在著手結束她的出版事業，文月即將隨夫移居海外，內心都有一些難捨與迫切之情。

不久蘭熙有美國之行，回來後邀我去筆會看季刊新版。幫她十五年的劉克端女士辭職後，新請助理郭菀玲小姐極聰慧負責，但仍是新手。公事談完，只剩我們兩人，她突然對我說，在美國最新醫學測試，她的腦細胞有百分之三十已損壞，失憶症已經開始，且無醫藥可以保證能阻止它繼續損壞，她淚流滿面地說：「邦媛，我看著病對我走來，無人能夠幫我。」又過了約一月，有一天早上，她家人打電話給我，問我好不好立刻過來一下。我到她家書房，看到她頭俯在打字機上哭泣，抬頭看到我，她說，「邦媛，我翻譯不出這首詩，下一期要用，我怎麼辦？」她雙手環抱打字機，哭泣難抑。我抱住她說，「Nancy，不要緊，我帶回去幫你譯，你放心好了。」那首短詩是白靈的〈風箏〉，那是一九九二年初春，當初在旁鼓掌加油的我，絕未想到二十年後，自己剛離開講堂，會爲友情接這支火把，雖曾猶豫多日，終於接下，一跑八年。生涯規劃擱置，時間與感情陷入日深，竟似摯友託孤，割捨甚感不忍。

相聚三十多年，多次聽蘭熙講她的童年，如何爲鄰童喊她「雜種」而與人打架，如何在失母後缺人照料而撞倒油燈灼傷半邊臉，如何用方塊字學中文……她十歲失母，卻因天性溫厚堅強，長成爲樂觀友善的女子。她一生也許最大的憾事是未能找到人給她母親寫傳。她那金髮碧眼的美麗母親一九一七年嫁給中國留學生張承櫆先生，由美國維吉尼亞州來到中國湖北縣城居住，生兒育女，十多年後終於離去，她的一生在那個時代實在多彩多姿，如果有作家善用此一題材，當有許多動人故事可以傳世。她自己一半中國血統，一半美國血統的身世，卻奉獻辦生爲臺灣文學在國際發聲，中美斷交後她受邀在美國十家地方電視臺，侃侃而談，「Talk about Taiwan」那樣清晰的頭腦，那麼有條理的言詞怎會陷入失憶的困境？這類在英語世界爲臺灣發聲的事，蘭熙做了很多，如同用英文出版的筆會季刊一樣，在臺灣反而少人得知。

我最後一次與蘭熙在臺灣相聚，是一九九四年五月殷先生去世不久。和平常一樣，我和她面對面坐在她書房左隅窗前，夕陽由國父紀念館的樹叢照進來，淡淡的金色照在靠牆的書架上。我突然發現書架上的照片全換了，所有殷先生的照片都不見了。我們手上各捧一杯茶，只是話不知從何說起，不像往常那樣見了面就有說不完的事，面前也沒有堆著書報和季刊的稿子。話題變得艱難起來。我說剛才在路上碰到遊行，她就說，「你知道，之浩死了。」再說幾句別的，她又說，「你知道，之浩死了。」我說我知道，我去了他的追思會。我從來沒有看過那麼高雅的靈堂，寧靜的男中音歌唱，在一色白花鋪滿的四壁，迴盪，哀傷而又親切。她說，「從前在唱詩班，之浩就是唱男中音的，聲音好迷人。」我又說了些季刊的事，想轉移她的注意。她接著，「邦媛，你知道，之浩死了，他們把他埋在白色的石頭墓裡。」我從皮包裡拿出兩本新的季刊給她，封面很不錯，是高山嵐的〈故鄉山景〉。她手裡拿著書，淚盈欲滴，二十年來，季刊是她的baby。但是她又說，「你知道，之浩死了。」兩個人終於無語，對坐在夕陽裡，暮色漸攏，淡金色的夕陽轉為黯淡的玫瑰色，種花的人稱為玫瑰灰燼的顏色。

兩年前我專程去舊金山看她，文月與我帶了一把亮色的鮮花同往，看到她由內室被扶著走出來時，她看來身體稍重，但部分神情仍似當年，我內心頗感激動，多年隔別，她還記得我麼？我知道她已不能談話，但是想到她離開臺灣前，有一天打了七次電話給我，說她可能要離開臺灣了……一再撥我這熟悉的號碼，叫著最熟悉的名字時，也許是對過去的生涯千言萬語難捨之情？也許她還記得我吧？當我拉著她的手時，她所能說的只是「邦、邦、邦……」我確知那已是可貴的記憶了。臨別相抱，心知今生再見不易了。舊金山晴朗的正午，天空湛藍深遠，像不可測的人生。這兩年內，海音去世；當天那麼健康地載我們去看蘭熙的郭先生竟也患病去世。和蘭熙論交數十年說的用的多是英文和英譯，而如今面對這個殘局，浮上心頭的卻是「死別已吞聲，生別常惻惻。」

年初收到國際筆會老友，多年秘書長白麗莎（Elizabeth Paterson）退休後寫的回憶錄Postcards from Abroad。在扉頁寫著，「以摯情紀念我們共同的好友蘭熙。」書內記載了許多蘭熙在筆會的奮鬥。她們對她幾乎全票當選國際筆會終身副會長之後，即未能再去開會，感到極大的遺憾。我今以此文思念蘭熙，向她二十年默默無私的奉獻致敬。我們相互扶持、相互鼓勵的友情，匯合成近十年的心血，凝聚在一百二十本英文季刊中。我們曾在臺灣多變的政局中，不用「政治正確」的觀點選文，只考慮藝術造詣和人文關懷，忠實地呈現了半世紀臺灣文學的全貌。三十年雖只是永恆的一瞬，但我們希望它爲這個時代的臺灣留下刻痕，如十六世紀英國詩人Edmund Spenser在他名詩Epithalanmion最後的希望是用此奉獻，「for a short time an endless monument」。蘭熙美好的仗地已打過。在她失憶的世界裡，不察覺「Time's Winged Chariot hurrying near」（時光長翅的戰車日漸逼近），也許不全然是悲痛的事。

溫州街到溫州街

林文月

從溫州街七十四巷鄭先生的家到溫州街十八巷的臺先生家，中間僅隔一條辛亥路，步調快的話，大約七、八分鐘便可走到，即使漫步，最多也費不了一刻鐘的時間。但那一條車輛飆馳的道路，卻使兩位上了年紀的老師視爲畏途而互不往來頗有年矣！早年的溫州街是沒有被切割的，臺灣大學的許多教員宿舍便散布其間。我們的許多老師都住在那一帶。閒時，他們經常會散步，穿過幾條人跡稀少的巷弄，互相登門造訪，談天說理。時光流逝，臺北市的人口大增，市容劇變，而我們的老師也都年紀在八十歲以上了，辛亥路遂成爲咫尺天涯，鄭先生和臺先生平時以電話互相問安或傳遞消息；偶爾見面，反而是在更遠的各種餐館，兩位各由學生攙扶接送，筵席上比鄰而坐，常見到他們神情愉快地談笑。

三年前仲春的某日午後，我授完課順道去拜訪鄭先生。當時《清晝堂詩集》甫出版，鄭先生掩不住喜悅之情，叫我在客廳稍候，說要到書房去取一本已題簽好的送給我。他緩緩從沙發椅中起身，一邊念叨著：「近來，我的雙腿更衰弱沒力氣了。」然後，小心地蹭蹬地在自己家的走廊上移步。望著那身穿著中式藍布衫的單薄背影，我不禁又一次深刻地感慨歲月擲人而去的悲哀與無奈！

《清晝堂詩集》共收鄭先生八十二歲以前的各體古詩千餘首，並親爲之註解，合計四八八頁，頗有一些沈甸甸的重量。我從他微顫的手中接到那本設計極其清雅的詩集，感激又敬佩地分享著老師新出書的喜悅。我明白這本書從整理，謄寫，到校對、殺青，費時甚久；老師是十分珍視此詩集的出版，有意以此傳世的。

見我也掩不住興奮地翻閱書頁，鄭先生用商量的語氣問我：「我想親自送一本給臺先生。你哪天有空，開車送我去臺先生家好嗎？」封面有臺先生工整的隸書題字，鄭先生在自序末段寫著：「老友臺靜農先生，久已聲明謝絕為人題為書簽，見於他所著《龍坡雜文》〈我與書藝〉篇中，這次為我破例，尤為感謝。」但我當然明白，想把新出版的詩集親自送到臺先生手中，豈是僅止於感謝的心理而已；陶潛詩云：「奇文共欣賞，疑義相與析。」何況，這是蘊藏了鄭先生大半生心血的書，他內心必然迫不及待地要與老友分享那成果的吧！

我們當時便給臺先生打電話，約好就在那個星期日的上午十時，由我駕車接鄭先生去臺先生的家。其所以挑選星期日上午，一來是放假日子人車較少，開車安全些；再則是鄭先生家裏有人在，不必擔心空屋無人看管。

記得那是一個春陽和煦的星期日上午。出門前，我先打電話給鄭先生，請他準備好。我依時到溫州街七十四巷，把車子停放於門口，下車與鄭先生的女婿顧崇豪共同扶他上車，再繞到駕駛座位上。鄭先生依然是那一襲藍布衫，手中謹愼地捧著詩集。他雖然戴著深度近視眼鏡，可是記性特別好，從車子一發動，便指揮我如何左轉右轉駛出曲折而狹窄的溫州街；其實，那些巷弄對我而言，也是極其熟悉的。在辛亥路的南側停了一會兒，等交通號誌變綠燈後，本擬直駛到對面的溫州街，但是鄭先生問：「現在過了辛亥路沒有？」又告訴我：「過了辛亥路，你就右轉，到了巷子底再左轉，然後順著下去就可以到臺先生家了。」我有些遲疑，這不是我平常走的路線，但老師的語氣十分肯定，就像許多年前教我們課時一般，便只好依循他的指示駕駛。結果竟走到一個禁止右轉的巷道，遂不得不退回原路，重新依照我所認識的路線行駛。鄭先生得悉自己的指揮有誤，連聲向我道歉。「不是您的記性不好，是近年來臺北的交通變化太大。您說的是從前的走法；如今許多巷道都有限制，不准隨便左轉或右轉的。」我用安慰的語氣說。「唉，好些年沒來看臺先生，路竟然都不認得走了。」他有些感慨的樣子，習慣地用右手掌摩挲著光禿的前額說。「其實，是您的記性太好，記得從前的路啊。」我又追添一句安慰的話，心中一陣酸楚，不知這樣的安慰妥當與否？

崇豪在鄭先生上車後即給臺先生打了電話，所以車轉入溫州街十八巷時，遠遠便望見臺先生已經站在門口等候著。由於我小心慢駛，又改道耽誤時間，性急的臺先生大概已等候許久了吧？十八巷內兩側都停放著私家小轎車，我無法在只容得一輛車通行的巷子裏下車，故只好將右側車門打開，請臺先生扶鄭先生先行下車，再繼續開往前面去找停車處。車輪慢慢滑動，從照後鏡裏瞥見身材魁梧的臺先生正小心攙扶著清瘦而微僂的鄭先生跨過門檻。那是一個有趣的形象對比，也是頗令人感覺溫馨的一個鏡頭。臺先生比鄭先生年長四歲，不過，從外表看起來，鄭先生步履蹣跚，反而顯得蒼老些。

待我停妥車子，推開虛掩的大門進入書房時，兩位老師都已端坐在各自適當的位置上了——臺先生穩坐在書桌前的籐椅上，鄭先生則淺坐在對面的另一張藤椅上。兩人夾著一張寬大的桌面相對晤談著；那上面除雜陳的書籍、硯臺、筆墨，和茶杯、菸灰缸外，中央清出的一塊空間正攤開著《清晝堂詩集》。臺先生前前後後地翻動書頁，急急地誦讀幾行詩句，隨即又看看封面看看封底，時則又音聲宏亮地讚賞：「哈啊，這句子好，這句子好！」鄭先生前傾著身子，背部微駝，從厚重的鏡片後瞇起雙眼盯視臺先生。他不大言語，鼻孔裏時時發出輕微的喀嗯喀嗯聲。那，是他高興或專注的時候常有的表情，譬如在讀一篇學生的佳作時，或轉別人談說一些趣事時；而今，他正十分在意老友臺先生對於他甫出版詩集的看法。我忽然完全明白了，古人所謂「奇文共欣賞」，便是眼前這樣一幕情景。

我安靜地靠牆坐在稍遠處，啜飲杯中微涼的茶，想要超然而客觀地欣賞那一幕情景，卻終於無法不融入兩位老師的感應世界裏，似乎也分享得他們的喜悅與友誼，也終於禁不住地眼角溫熱濕潤起來。

日後，臺先生曾有一詩讚賞《清晝堂詩集》：

千首詩成南渡後，
精深雋雅自堪傳。
詩家更見開新例，
不用他人作鄭箋。

鄭先生的千首詩固然精深雋雅，而臺先生此詩中用「鄭箋」的典故，更是神來之筆，實在是巧妙極了。

其實，兩位老師所談並不多，有時甚至會話中斷入，而呈現一種留白似的時空。大概他們平常時有電話聯繫互道消息，見面反而沒有什麼特別新鮮的話題了吧？抑或許是相知太深，許多想法盡在不言中，此時無聲勝有聲嗎？

約莫半個小時左右的會面晤談。鄭先生說：「那我走了。」「也好。」臺先生回答得也簡短。

回鄭先生家的方式一如去臺先生家時。先請臺先生給崇豪、秉書夫婦打電話，所以開車到達溫州街七十四巷時，他們兩位已等候在門口；這次沒有下車，目送鄭先生被他的女兒和女婿護迎入家門後，便踩足油門駛回自己的家。待返抵自己的家後，我忽然冒出一頭大汗來。覺得自己膽子真是大，竟然敢承諾接送一位眼力不佳，行動不甚靈活的八十餘歲老先生於擁擠緊張的臺北市區中；但是，又彷彿完成了一件大事情而心情十分輕鬆愉快起來。

那一次，可能是鄭先生和臺先生的最後一次相訪晤對。

鄭先生的雙腿後來愈形衰弱，而原來硬朗的臺先生竟忽然罹患惡疾，纏綿病榻九個月之後，於去秋逝世。

公祭之日，鄭先生左右由崇豪與秉書扶侍著，一清早便神色悲戚地坐在靈堂的前排席位上。他是公祭開始時第一位趨前行禮的人。那原本單薄的身子更形單薄了，多時沒有穿用的西裝，有如掛在衣架上似的鬆動著。他的步履幾乎沒有著地，全由女兒與女婿架起，危危顛顛地挪移至靈壇前，一路慟哭著，涕淚盈襟，使所有在場的人倍覺痛心。我舉首望見四面牆上滿布的輓聯，鄭先生的一副最是眞切感人：

六十年來文酒深交弔影今爲後死者
八千里外山川故國傷懷同是不歸人

那一個仲春上午的景象，歷歷猶在目前，實在不能相信一切是眞實的事情！

臺先生走後，鄭先生更形落寞寡歡。一次拜訪之際，他告訴我：「臺先生走了，把我的一半也帶走了。」語氣令人愕然。「這話不是誇張。從前，我有什麼事情，總是打電話同臺先生商量；有什麼記不得的事情，打電話給他，即使他也不記得，但總有些線索去打聽。如今，沒有人好商量了！沒有人可以尋問打聽了！」鄭先生彷彿爲自己的詩作註解似的，更爲他那前面的話作補充。失去六十年文酒深交的悲哀，絲毫沒有掩飾避諱地烙印在他的形容上、回響在他的音聲裏。我試欲找一些安慰的話語，終於也只有惻然陪侍一隅而已。腿力更爲衰退的鄭先生，即使居家也須倚賴輪椅，且不得不雇用專人伺候了。在黃昏暗淡的光線下，他陷坐輪椅中，看來十分寂寞而無助。我想起他〈詩人的寂寞〉啟首的幾句話：「千古詩人都是寂寞的，若不是寂寞，他們就寫不出詩來。」鄭先生是詩人，他老年失友，而自己體力又愈形退化，又豈單是寂寞而已？近年來，他談話的內容大部分圍繞著自己老化的生理狀況，又雖然緩慢卻積極地整理著自己的著述文章，可以感知他內心存在著一種不可言喻的又無可奈何的焦慮。

今年暑假開始的時候，我因有遠行，準備了一盒鄭先生喜愛的鬆軟甜點，打電話想徵詢可否登門辭行。豈知接電話的是那一位護佐，她勸阻我說：「你們老師在三天前突然失去了記憶力，躺在床上，不方便會客。」這真是太突然的消息，令我錯愕良久。「這種病很危險嗎？可不可以維持一段時日？會不會很痛苦？」我一連發出了許多疑問，眼前閃現兩周前去探望時雖然衰老但還談說頗有條理的影像，覺得這是老天爺開的玩笑，竟讓記性特好的人忽然喪失記憶。「這種事情很難說，有人可以維持很久，但是也有人很快就不好了。」她以專業的經驗告訴我。

旅次中，我忐忑難安，反覆思考著：希望回臺之後還能夠見到我的老師，但是又恐怕體質比較薄弱的鄭先生承受不住長時的病情煎熬；而臺先生纏綿病榻的痛苦記憶又難免重疊出現於腦際。

七月二十八日清晨，我接獲中文系同事柯慶明打給我的長途電話。鄭先生過世了。慶明知道我離臺前最焦慮難安的心事，故他一再重複說：「老師是無疾而終。走得很安詳，很安詳。」

九月初的一個深夜，我回來。次晚，帶了一盒甜點去溫州街七十四巷。秉書與我見面擁泣。她爲我細述老師最後的一段生活以及當天的情形。鄭先生果然是走得十分安詳。我環顧那間書籍整齊排列，書畫垂掛牆壁的客廳。一切都沒有改變。也許，鄭先生過世時我沒有在臺北，未及瞻仰遺容，所以親耳聽見，也不能信以爲真。有一種感覺，彷彿當我在沙發椅坐定後，老師就會輕咳著、步履維艱地從裏面的書房走出來；雖是步履維艱，卻不必倚賴輪椅的鄭先生。

我辭出如今已經不能看見鄭先生的溫州街七十四巷，信步穿過辛亥路，然後走到對面的溫州街。秋意尚未的臺北夜空，有星光明滅，但周遭四處飄著悶熱的暑氣。我又一次非常非常懷念三年前仲春的那個上午，淚水便禁不住地婆娑而往下流。我在巷道中忽然駐足。溫州街十八巷也不再能見到臺先生了。而且，據說那一幢日式木屋已不存在，如今鋼筋水泥的一大片高樓正在加速建造中；自臺先生過世後，實在不敢再走過那一帶地區。我又緩緩走向前，有時閃身讓車輛通過。

不知道走了多少時間，終於來到溫州街十八巷口。夜色迷濛中，果然矗立著一大排未完工的大廈。我站在約莫是從前六號的遺址。定神凝睇，覺得那粗糙的水泥牆柱之間，當有一間樸質的木屋書齋；又定神凝睇，覺得那木屋書齋之中，當有兩位可敬的師長晤談。於是，我彷彿聽到他們的談笑親切，而且彷彿也感受到春陽煦暖了。

有情風萬里捲潮來，無情送潮歸

廖棟樑

王老師猝然故世，令人震驚與不捨。常聽人說一個人患急病、出意外，當天去世，對自己來講，減少了不少無謂的痛苦與折磨，也算是一種福氣。但王老師未到耄耋之齡，只因心肌梗塞而突然去世，帶給親友弟子自然是措手不及，痛苦也特別大。何況，王老師敏感洞識、智慧全開，正值學思圓熟之境，「千古文章未盡才」，王老師未能盡才而過早地離開了，給我們留下自然是莫大的悲傷與不捨。

一

「使人生圓滑進行的微妙的要素，莫如『漸』，造物主騙人的手段，也莫如『漸』。」「假使人生的進行不像山陂而像風琴的鍵板，由do突然移到re，即如昨夜的孩子今朝忽然變成青年；或者像旋律的『接離進行』地由do忽然跳到mi，即如朝爲青年而暮忽成老人，人一定要驚訝、感慨、悲傷，或痛感人生的無常，而不樂爲人了。」「造物的騙人，使人流連於其每日每時的生的歡喜而不覺其變遷與辛苦。」「日常生活中的人生也如此，刻刻覺得我是我，似乎這『我』永遠不變，實則與時辰鐘的針一樣地無常！一息尚存，總覺得我仍是我，我沒有變，還是留連著我的生，可憐受盡『漸』的欺騙。」王老師走後，不知怎樣，我總是想起豐子愷的〈漸〉，因爲我覺得老師的離開一定有其「道理」在，有那可以解釋的「合理」邏輯。如果說「我是此在最本己的可能性，像這種可能性存在，就在此在開展出他的最本己的能在。」按照海德格爾的論點，死亡不是人的不在，也非人的可能性的徹底喪失，相反，它是人最「本己」的可能性。因此，死亡正表現了「此在」之人對自身最徹底的謀劃。那麼，王老師竟是以其死亡作爲身教，用著極霹靂的手段，一如禪師的棒喝，告訴吾輩不要可憐受盡「漸」的欺騙，不要不再關心昏曉流連中時光之輪的轉動，因爲金凌師的「演示」，讓我們得以因爲預感到那個終點之不可避免，而端居澄默，靜一俟命，從疲困迷惘中追回此生堅實的岸土，珍重此生的可自主性，重新面對這已經無感的人世。我意識到，睿智的老師的死亡，雖云匆匆，實是此第一等事的實地踐履，可以坦然不悔地行去。

二

據說王老師去世之前，剛剛上完灑脫的《莊子》的課程，而在研究所老師更開有「魏晉玄學」一門。金凌師喜歡老莊、喜歡魏晉風度，常認爲道家思想是古人貢獻給現代的最佳良方，他也常在考題中質問學生：「你認爲道家思想的精義是什麼？到今天，是否仍有價値？若有，何在？說明理由。若無，也說明理由。」談到魏晉風度，魯迅有個概括，就是「清峻通脫」，王老師的〈文學與慈悲〉、〈人文學術在消融生命內在衝突中的作用〉等傑作就有清醒、敢於直面現實的「清峻」；但他總又常「出語多諧」，表現出舉重若輕的「通脫」，彷彿看穿、看透了一切以後的坦然自如。王老師這種清峻中的通脫，給人的印象是難忘的。

延續到教學上，金凌師指導論文向來是爲「平時放任不管，關鍵時刻才點醒你」，平常你怎麼讀、怎麼弄他通通言可而不問。其實這個「放任不管」，我倒覺得這正是因爲老師抓住了學術研究的特點。學術研究是個人獨立的自由的精神勞動，因此它從根底上就應該是悠閒的。悠閒，並不是無所事事，一位真正的學者，一個有志於學術的學生，學術研究是他內在生命的需要，根本不需要督促，看起來他在閒蕩、讀閒書，其實總在思考。看起來漫不經心，其實是一種沉潛狀態，在淡泊名利、不急不躁的沉穩心態下，潛入生命與學術的深處，進行自由無羈的探討與創造，慢悠悠地做學問。這是不能管的，更不能亂管。搞學術就得帶有魏晉風度，王老師深諳無爲而治的奧妙。但他又會在關鍵時刻點醒你，金淩師平常不輕易點撥，一點就讓你終生難忘、受用不盡。在我受教過程中，王老師連同另一位王夢鷗老師就有這種本事，他們點到即止，醒不醒，就看學生的悟性。

學術環境改變了，以前師長總提醒我們不要急於發表文章，目前學界卻以篇數計，有時因爲教學、家庭負荷沉重，無暇撰寫論文，一年生產不到一篇，心裡不免慌張浮躁，對著金淩師抱怨，老師總不斷強調沉潛的重要，提醒我沉沉穩穩地做學問，好好地下功夫，慢慢的寫出來，切切不可虛華。他一再提醒我要著眼於一生的長遠發展，而不只看眼下的得失。老師總是說：「沉住氣，不受環境影響，底打穩了，基紮深些，氣飽滿了，哪怕文章不源源而出呢？」每週三回到母系上課，老師看到我的第一句話便說：「怎麼頭髮又白些？」「放輕鬆，你繃得太緊了，不要替自己製造出些框框爲難自己。」然後接續的話便是「要多運動，學我練練氣功。」有他在，遇到這些事那些事，就有一個人可以問，而且他總能一派澄澈，用特有的智慧淡定地點醒我。但是，老師去世之後，又能有誰來指點，想到此，回憶起老師的音聲、笑容，悲從中來，痛徹心扉。

三

好想念老師，淚盡詞窮，想起史鐵生問於地壇的一段話：「要是有些事我沒說，地壇，你別以爲是我忘了，我什麼也沒忘，但是有些事只適合收藏。不能說，也不能想，卻又不能忘。它們不能變成語言，它們無法變成語言，一旦變成語言就不再是它們了，它們是一片朦朧的溫馨與寂寥，是一片成熟的希望與絕望，它們的領地只有兩處：心與墳墓。」老師的點滴永遠收藏在我的心中。

金凌師喜歡東坡〈八聲甘州〉（有情風萬里捲潮來）的境界，詞云：「有情風萬里捲潮來，無情送潮歸。」海風花那麼大的力量把萬里之外的潮水捲送過來，不是有情，是什麼？師徒因緣交會成就娑婆世界，不是有情，是什麼？然而潮來畢竟是留不住的，退潮是物理之不得不然，這又何等無情。死亡亦然，終究是自家事，縱然父子兄弟夫妻亦絲毫分攤不得，何況師徒。我雖能從理智上了解東坡的曠達，一如仰企金凌師的曠達，但「無情送潮歸」總給我很深的悲愴的感覺，這又何等可憾。

——寫於金凌師頭七日

物我單元

導讀［物我單元］

李鵑娟

一、人文空間

傳統文化中的「人文」，是指與人和人事相關的社會人倫道德文化，是與以自然爲對象的「天文」相對應。而西方的「人文」是Humanism，泛指任何以「人」爲中心的學問，以區別於以「神」爲中心的神本主義。它是文藝復興時期的時代精神，是中世紀基督教神權的對立物。西方的人文精神，強調的是人道、人的價值的實現。而在傳統東方文化中，人文的關鍵是「文」。《周易．繫辭》云：「物相雜，故曰文。」「文」是事物之間的交錯關係，由此引申出條文、秩序、制度等含義。因此，人文的基本含義是指人類生活和活動的基本關係、條理和秩序；是提倡禮義仁愛、天人合一、順其自然的思維；是追求人的和諧、人與自然、人與人之間關係的協調。

梁啓超將〈桃花源記〉與西方的理想國連結起來，同時指出這是東方版的「烏托邦小說」。陶淵明的桃花源不在遠處，也並未與世隔絕，是一個得以落實於人間的理想世界。桃花源眞正阻隔的是「時間」，而不是「空間」，在〈歸去來兮辭〉中，陶淵明雖曾以「帝鄉不可期」而否定天堂仙境的存在，但是他卻相信理想的社會是可能存在的。儘管因爲時間上的落差，而遍尋不著桃花源，卻也因爲時間，這樣的理想世界將可能於未來世界重現。只要人們心念一轉，一同努力改變這個世界，美善的天地不在它處，而在實踐與否。〈桃花源記〉不是只有「逃避、躲藏、尋覓」，亦有「建立美好家園」的積極意義存在。

《菜根譚》云：「讀書窮理，要以識趣爲先。」對於琴書詩畫、山川雲物，明智聰慧之人懂得藉此來培養自身的靈性、提高自身的學識；而平庸俗子只知道欣賞表面，而無法領略事物蘊含的內容，因此，不論是閱讀書籍或窮究事理，都應先提升自己的志趣。

在李清照寫下賭書潑茶的舊事時，呈現的不僅僅是亡人和當時的夫妻恩情，還有保藏多年的文物記憶：兩人省吃儉用、四處奔走搜集來的書籍文物，一部分被戰火燒成灰燼、一部分被官軍取走、一部分被竊賊偷取賤賣，寫作此文時，因爲戰亂辛苦保護的十五車珍貴文物，也只僅剩下零落不成冊的散本。碑刻銘文的散落，只留下一頁頁蒼白的目錄，雖然隱去了字裡行間的戰火紛飛，卻處處可見離人血淚。一件件看似無情的金石文物，在非個人的宏觀歷史敘事裡，通過李清照的追憶與懷想，展現了有情個體在現實世界中的眞實情感。

列子與壺丘子的對話中，將「遊」區分爲「外觀」與「內觀」，在「遊覽」的過程中，由觀覽景致、景物的美進而體會、感受景致、景物的律動，從而內省自我於生命歷程中的變動與宇宙自然的關係，此即《莊子》的「是我之所謂觀也」，《金剛經》的「應無所住而生其心」，內觀反照，了無所住，不受環境、形體的拘限。而淩拂的文字蘊含自然，深含旨趣，散於萬殊，歸於一本，可以照觀潛隱市塵中，如何現世安穩的一種生活態度。

二、自然環境

一九六二年，美國女作家契爾卡遜《寂寞的春天》（*Silent Spring*）一書，披露人們因使用大量化學藥品防治病蟲害，結果造成生態和人類的災難，該書在當時產生影響，促使美國政府及人民重視環保生態，從而使人類開始思考人與自然、環境的關係。

環境是指自然界空氣、水、土地、生物、非生物之間的互存關係，人類亦是自然的一份子，傳統哲學所體認的宇宙自然，是一種相互感通、感應、和諧一致的「天人合一」的思想，人的生命精神和自然萬物同體共氣，從小我的生命體驗，感通他人的生命，旁通萬物的生命，體悟到無一人無一物的生命本性，如：《老子》的無爲、道法自然；《莊子》的天地與我並生，萬物與我爲一；佛家的戒殺生、眾生平等等。四千年前的夏朝，規定春天不准砍伐樹木，夏天不准捕魚，不准捕殺幼獸和獲取鳥蛋；三千年前的周朝，根據氣候節令，嚴格規定了打獵、捕鳥、捕魚、砍伐樹木、燒荒的時間；二千年前的秦朝，禁止春天採集剛剛發芽的植物，禁止捕捉幼小的野獸，禁止毒殺魚鱉，皆反映著文化內涵裡人類如何自處於自然、環境中的態度。

人類一方面是生命鏈的一環，不可能不靠其他生命而存活，也因爲人類在自然、環境中佔有相對於主導的重要地位，任何人類所做的改變對於整體生命世界與自然、環境都有巨大的影響；但另一方面，人類正因爲相較其他生命萬物而言，更具有道德主體性，就不可能僅順從生命本能的方式行動，而不產生道德負擔。人類是道德主體，有道德意識和判別能力，因此，如果承認生命自身的價值，並非由人類所決定的，而人類的道德判斷不能是物種主義，也不能只依自然法則而行，則人類的生命於是出現生存道德的兩難困境。

如果，人類的生命存在著不可免的道德兩難是來自於人類作爲道德主體與道德行動者而來，則道德兩難的結構將使正反兩種選擇都不可避免地涉及違背另一些重要的道德原則。人類在生存上只能兩害相衡取其輕，避開最嚴重的不道德的後果。依儒家之義理，「不忍人之心」是道德價值的根源，它的判斷是最終的。其判斷的原則並不是依行動後果或受影響的對象所感的正反功效而來。

儘管我們對同類生命有更強烈的不安不忍之反應，但在一定的理解或共同生活方式之下，我們也可以對某些物種，或不同於人類的其他生命有強烈的親和感，可以具有強烈的感通和較諸其他同類有更重的責任感受。因此，我們的判斷不是人類物種主義式的，是道德的普遍意義。這種道德的感受出自行動主體，並非純然的主觀感情，它帶有普遍理性的追求，常使我們的同理情感不僅侷限於自己的物種或主觀的情感對象，更願意接受和採取相應的行動，以補救因此而成爲較不利的一方的損害。

過去，強調以人爲本，歌頌戰勝自然、人定勝天的觀念，將自然視爲敵對力量，卻破壞了生態平衡；其後，強調以自然爲本，希冀全然以保持生態平衡爲唯一原則，卻可能否定了人類的主觀能動性；現今，我們進一步理解，人類與自然、環境，彼此處於相互「約制」與「被約制」的關係網絡中，相互依賴，互爲條件，一榮俱榮，一損俱損。

「共生」一詞雖然是生物學的用語，但我們由自然界非生命體的合成演變與生命體的共生演化中認識，人類與自然萬物互相交融，互利共生，使生物界因共生得以永續發展，並從而瞭解人類社經系統與自然生態系統並非相互抵觸而是互利共生時，才有可能透過組織、制度與技術來支持演化的過程。生態規劃大師瑪哈認爲「人類在自然環境中從事活動及環境利用時，必須尊重自然環境運作之法則，順應生態之體系，才能建立一個和諧互利的環境。」（Mc Harg, 1969）自然、環境是人類文明活動的有機容器，而人類對於自然、環境有著極大的影響，生態的演替可視爲生態環境在自然作用或人爲影響下的一種質與量變化的過程，如何使人類與自然、環境朝向良性正面、互利互益的方向發展是一大課題。

二〇二〇年COVID-19大蔓延，在全球經濟與生活日常上顚覆人類習以爲常的運作模式。美國約翰霍普金斯大學健康安全中心的資深科學家Eric Toner，針對COVID-19冠狀病毒疫情接受《Business Insider》訪問指出：「我們（人類）正處在一個瘟疫時代」（Age of epidemics）。由世界經濟論壇所發布的《2020年全球風險報告》也將傳染病列爲全球必須關注的風險，顯示大規模傳染性疾病，對於人類社會經濟將帶來愈來愈嚴重的衝擊。約翰霍普金斯大學系統科學工程中心（CSSE）所提出的「COVID-19冠狀病毒擴散模擬」（Modeling the Spread of 2019-nCoV），其模型的核心，即是假設一個由飛機所建構的「全球人口網絡」，城市就是這個全球網絡的節點，人員流動最多的城市，被預測成爲受疫情擴散最嚴重的地方。全球化的跨國社會經濟體系，加速人員流動的同時，也驅動了病毒大規模的擴散。

然而，全球化僅能說明疫情何以大幅擴散，並不能解釋何以有愈來愈多「人類與動物共通傳染」疾病的大量出現，包括一九七六年發現的伊波拉病毒、一九九七年的禽流感、二〇〇二年的SARS、二〇〇九的H1N1，或是近幾年的中東呼吸症候群冠狀病毒（MERS）以及如今仍在全球擴散的COVID-19冠狀病毒，都屬於人類與動物的共通傳染疾病。美國國際開發總署（USAID）以Dennis Carroll爲首的科學家，二〇一八年二月份曾在《科學》（Science）期刊針對這些與人類、動物之間擴散的病毒進行研究發表指出，對人類生理造成危害的「新興病毒」，多數上早已是其他動物身上的常住居民，這些病毒經過長時間的演化，早已與宿主呈現和平共存的關係，而人類因包括林地開發、野生動物獵捕等經濟活動關係，讓自己與家畜暴露在病毒感染範圍中，持續讓人類愈來愈「靠近」這些病毒。

科學家使用「人類世」（Anthropocene）一詞來定義當前時代，象徵了人類對地球帶來的改變。人類一直以來擁有無限破壞性的權力，但應同時思考，權力的背後意味著肩負同樣巨大的責任，以防止這些變化造成毀滅性的影響，甚至危及我們的生存。

三、家園認同

過去，人類歷史上有許多不同規模和範圍的人群流動，有的是自願遷移以尋找機會，更多的是被迫離居他鄉；現今，隨著跨國生產的市場經濟力量、金融資本的流動，以及資訊科技的傳播與交通運輸的便利，全球化成爲人群跨界流動的動力，降低了地理疆界對社會和文化的束縛，從而產生思想的變化或自然環境所衍生的污染與保育議題，並使得過往在地脈絡的社會關係被剝除或拔離，但卻又同時重新建構社會關係，提供新的社群連結的場域和機制。

過去的離散帶有亡國、離土和飄零之感，甚至是來自於強迫移民的人口販賣結果；但如今，人們離開原有的地域，移居到其他的國家或地區生活，形成了一種空間的延伸或社會移位，在離開了地方親屬、或家鄉地緣的聯結後，也同時藉由跨域社群的建構，形塑一個全新的跨域認同。對於流離移居他地的人們而言，與寓居的地理空間相對的就是家園—它牽繫著移居者的去向、鄉愁的起源與其所認同的地方，流離移居涉及「居住的地方」和「從屬的地方」（家園、社會或民族、國家）的歷史和經驗，城鄉、國家、社會和文化等的跨越，以及身分認同的轉化。人們如何界定個人的社會認同？如何與「從屬的地方」連結維繫？在跨域的過程中，如何在既有的身分與跨域後所帶來的新身分面對可能的衝突，同時與「居住的地方」共同塑造新的認同，成爲人類生命中與心理上對原鄉與他鄉思索的重要議題。

然而「認同」並不限於常見的「身份、族群或國家的認同」而已，「地理與自然環境」是人類對家園或鄉土生活的實體反射，跨域者的生命和土地的關連和對話，構成了一個多樣向度的認同情懷，而這種具現在地理空間上的跨界連結，超越了心理層面的感受，而構成「環境認同」或「家園/鄉土認同」的基礎。人類與家園的繁複關係，是重新思索生命的姿態，是社會的集體共鳴與人性反思。

四、小結

本單元所選輯的篇章，雖是以「自然家園」作爲主題，卻希冀讀者能由個別篇章的引領與啓發，得以思索、自省人類之於自然、環境、生物甚或人類自身作爲道德的主體者對於家園、社會、群體應有的責任、義務與體認。

桃花源記

陶淵明

晉太元中，武陵人捕魚爲業，緣溪行，忘路之遠近。忽逢桃花林，夾岸數百步，中無雜樹，芳草鮮美，落英繽紛；漁人甚異之。復前行，欲窮其林。林盡水源，便得一山。山有小口，髣彿若有光。便捨船，從口入。

初極狹，才通人；復行數十步，豁然開朗。土地平曠，屋舍儼然❶，有良田、美池、桑竹之屬❷，阡陌交通，雞犬相聞。其中往來種作，男女衣著，悉如外人；黃髮垂髫❸，并怡然自樂。見漁人，乃大驚；問所從來，具答之。便要❹還家，設酒、殺雞、作食；村中聞有此人，咸來問訊。自云先世避秦時亂，率妻子邑人來此絕境，不復出焉；遂與外人間隔。問今是何世，乃不知有漢，無論魏晉。此人一一爲具言所聞，皆歎惋。餘人各復延❺至其家，皆出酒食。停數日，辭去。此中人語云：「不足爲外人道也。」

❶儼然：整齊。
❷屬：類別。
❸垂髫：髫，音ㄊㄧㄠˊ，小孩童的髮型，垂髫，指幼童。
❹要：邀。
❺延：邀請。

既出，得其船，便扶向路❻，處處誌之。及郡下，詣太守，說如此。太守即遣人隨其往，尋向所誌，遂迷不復得路。南陽劉子驥，高尚士也；聞之，欣然規往❼。未果，尋病終。後遂無問津者。

❻扶向路：沿著來時的路。

❼規往：計畫前往。

金石錄後序

李清照

右《金石錄》三十卷者何？趙侯德父❶所著書也。取上自三代，下迄五季❷，鐘、鼎、甗、鬲、盤、匜、尊、敦❸之款識❹，豐碑大碣、顯人晦士之事蹟，凡見於金石刻者二千卷，皆是正僞謬，去取褒貶，上足以合聖人之道，下足以訂史氏之失者，皆載之，可謂多矣。嗚呼！自王播❺、元載之禍❻，書畫與胡椒無異；長輿、元凱之病❼，錢癖與傳癖何殊？名雖不同，其惑一也。

---

❶趙侯德父：李清照的丈夫，趙明誠，字德父。

❷五季：五代。

❸鐘、鼎、甗、鬲、盤、匜、尊、敦：甗，音ㄧㄢˇ，古代用來炊煮的一種蒸鍋；鬲，音ㄌㄧˋ，一種古代的炊具；匜，音ㄧˊ，古代一種盛水或酒的器皿；尊，酒器；敦，音ㄉㄨㄟˋ，古代用來盛黍、稷、稻、粱等的器具。

❹款識：鐘鼎彝器上所刻的文字和花紋；書畫上的落款和題字。

❺王播：唐文宗時宰相，喜收藏書畫，後因謀誅宦官，事泄被殺。家中金玉珍寶被人搶奪，而書畫棄於道路。

❻元載之禍：元載，唐代宗時宰相，因貪賄被殺抄家，家中有贓物胡椒八百石，鐘乳五百兩。

❼和嶠，字長輿，晉朝人，家境富裕，卻極吝嗇，杜預說他有「錢癖」。杜預，字元凱，雅好《左傳》，著有《春秋經傳集解》。

余建中辛巳❽，始歸趙氏❾。時先君作禮部員外郎，丞相❿作吏部侍郎，侯年二十一，在太學作學生。趙、李族寒，素貧儉，每朔望謁告⓫出，質衣，取半千錢，步入相國寺，市碑文、果實歸；相對展玩咀嚼，自謂葛天氏⓬之民也。後二年，出仕宦，便有飯蔬衣練⓭，窮遐方絕域，盡天下古文奇字之志。日就月將，漸益堆積。丞相居政府，親舊或在館閣⓮，多有亡詩⓯、逸史，魯壁⓰、汲塚⓱所未見之書，遂盡力傳寫；浸覺有味，不能自已。後或見古今名人書畫，一代奇器，亦復脫衣市易⓲。嘗記崇寧間⓳，有人持徐熙⓴《牡丹圖》，求錢二十萬。當時雖貴家子弟，求十萬錢豈易得耶？留信宿，計無所出而還之。夫婦相向惋悵者數日。

❽建中辛巳：宋徽宗建中靖國元年，西元一一〇一年。

❾歸趙氏：嫁給趙明誠，時李清照十八歲。

❿丞相：趙挺之；即趙明誠的父親。

⓫謁告：請假。

⓬葛天氏：葛天氏為傳說中的遠古帝王，其時代人民幸福。

⓭練：音ㄕㄨ，紡粗的絲。

⓮館閣：宋代掌管修史、藏書、校對的機關。

⓯亡詩：指《詩經》三百零五篇以外的詩。

⓰魯壁：魯恭王治宮室，壞孔子舊宅以擴大宮殿，於壁中得先人所藏古文。

⓱汲塚：晉太康二年，汲郡有盜魏襄王墓，得竹書數十車，皆為竹筒蝌蚪文。

⓲脫衣市易：典當衣服來購買古董。

⓳崇寧：宋徽宗年號，西元一一〇二－一一〇六年。

⓴徐熙：南唐時著名畫家。

後屏居㉑鄉里十年，仰取俯拾，衣食有餘。連守兩郡㉒，竭其俸入，以事鉛槧㉓。每獲一書，即同共勘校，整集籤題。得書畫、彝鼎，亦摩玩舒卷㉔，指摘疵病，夜盡一燭爲率。故能紙札精致，字畫完整，冠諸收書家。余性偶強記，每飯罷，坐歸來堂烹茶，指堆積書史，言某事在某書某卷第幾頁第幾行，以中否角㉕勝負，爲飲茶先後。中即舉杯大笑，至茶傾覆懷中，反不得飲而起。甘心老是鄉矣，故雖處憂患困窮，而志不屈。

收書既成，歸來堂起書庫大櫥，簿甲乙㉖，置書冊。如要講讀，即請鑰上簿，關出卷帙，或少損污，必懲責揩完塗改㉗，不復向時之坦夷㉘也。是欲求適意而憀㉙慄。余性不耐，始謀食去重肉㉚，衣去重采㉛，首無明珠翡翠之飾，室無塗金刺繡之具，遇書史百家字不刓闕㉜，本不訛謬者，輒市之，儲作副本。自來家傳

㉑屏居：隱居。

㉒兩郡：趙明誠于宣和三年出守萊州，建康元年移守淄州。

㉓鉛槧：槧，音ㄑㄧㄢˋ，木牘。鉛槧皆為古人紀錄文字的工具。

㉔舒卷：張開或捲起。

㉕角：決。

㉖甲乙：分類編號。

㉗揩完塗改：在污損之處，塗上雌黃，用楷書補正。

㉘不復向時之坦夷：不像從前那麼不在意。

㉙憀：音ㄌㄧㄠˊ，悲恨。

㉚食去重肉：不同時吃兩樣葷菜。

㉛衣去重采：不同時穿兩件繡花衣裳。

㉜刓：音ㄨㄢˊ，殘缺不全。

《周易》、《左氏傳》，故兩家者流，文字最備。於是几案羅列，枕席枕藉，意會心謀，目往神授，樂在聲色狗馬之上。

至靖康丙午歲，侯守淄川。聞金人犯京師，四顧茫然，盈箱溢篋，且戀戀，且悵悵，知其必不爲己物矣。建炎丁未㉝春三月，奔太夫人喪南來。既長物不能盡載，乃先去書之重大印本者，又去畫之多幅者，又去古器之無款識者，後又去書之監本㉞者，畫之平常者，器之重大者。凡屢減去，尚載書十五車。至東海，連艫㉟渡淮，又渡江，至建康。青州故第，尚鎖書冊什物，用屋十餘間，期明年春再具舟載之。十二月，金人陷青州，凡所謂十餘屋者，已皆爲煨燼㊱矣。

建炎戊申㊲秋九月，侯起復知建康府。己酉春㊳三月罷，具舟上蕪湖，入姑孰，將卜居贛水上。夏五月，至池陽。被旨知湖州，過闕上殿㊴，遂駐家池陽，獨赴召。六月十三日，始負擔，捨舟坐岸上，葛衣岸

㉝ 建炎丁未：宋高宗建炎元年，西元一一二七年。

㉞ 監本：國子監所刻之書。

㉟ 艫：音ㄌㄨˊ，船頭。

㊱ 煨燼：音ㄨㄟ ㄐㄧㄣˋ，灰燼。

㊲ 建炎戊申：建炎二年，西元一一二八年。

㊳ 己酉春：建炎三年春天，西元一一二九年。

㊴ 過闕上殿：指入朝見皇帝。

巾㊵，精神如虎，目光爛爛射人，望舟中告別。余意甚惡，呼曰：「如傳聞城中緩急㊶，奈何？」戟手㊷遙應曰：「從眾，必不得已，先去輜重，次衣被，次書冊卷軸，次古器，獨所謂宗器㊸者，可自負抱，與身俱存亡，勿忘也。」遂馳馬去。途中奔馳，冒大暑，感疾，至行在㊹，病痁㊺。七月末，書報臥病。余驚怛㊻，念侯性素急，奈何病痁。或熱，必服寒藥，疾可憂。遂解舟下，一日夜行三百里。比至，果大服茈胡㊼、黃芩藥，瘧且痢，病危在膏肓㊽。余悲泣，倉皇不忍問後事。八月十八日，遂不起。取筆作詩，絕筆而終，殊無分香賣履㊾之意。

葬畢，余無所之。朝廷已分遣六宮㊿，又傳江當禁渡(51)。時猶有書二萬卷，金石刻二千卷，器皿、茵褥可待百客，他長物稱是。余有大病，僅存喘息。事勢日迫，念侯有妹婿任兵部侍郎，從會在洪州，遂遣二故

㊵岸巾：古人以頭巾覆額，把頭巾掀起露出前額，稱作岸巾。

㊶緩急：緊急。指金兵入侵。

㊷戟手：以食指與中指分開成戟形，指向對方。

㊸宗器：宗廟祭祀的用具。

㊹行在：皇帝出行所在之地，此指建康。

㊺痁：音ㄉㄧㄢˋ，瘧疾。

㊻怛：音ㄉㄚˊ，憂恐。

㊼茈胡：音ㄔㄞˊ ㄏㄨˊ，柴胡，植物名，可做藥。

㊽膏肓：人體心臟與橫膈膜之間的部分。舊說以為是藥效無法達到的地方，故引申為病症已達難治的階段。

㊾分香賣履：曹操《遺令》：「余香可分與諸夫人，不命祭。諸舍中無所為，學作組履賣也。」指不念家事，沒有留下遺囑。

㊿分遣六宮：建炎三年七月，因避金人南下，朝廷遣散六宮逃命。

(51)當禁渡：長江禁止渡航。

吏先迓行李往投之。冬十二月，金人陷洪州，遂盡委棄，所謂連艫渡江之書，又散爲雲煙矣。獨餘少輕小卷軸書帖，寫本李、杜，韓、柳集，《世說》，《鹽鐵論》，漢、唐石刻副本數十軸，三代鼎、鼐十數事，南唐寫本書數篋，偶病中把玩，搬在臥內者，巋然獨存52。

上江既不可往，又虜勢叵測，有弟迒，敕局刪定官53，遂往依之。到臺，臺守已遁。之剡，出睦，又棄衣被，走黃巖，雇舟入海，奔行朝。時駐蹕54章安。從御舟海道之溫，又之越。庚戌十二月，放散百官，遂之衢。紹興辛亥春三月，復赴越。壬子，又赴杭。

先侯疾亟時，有張飛卿學士，攜玉壺過視侯，便攜去，其實玟55也。不知何人傳道，遂妄言有頒金56之語。或傳亦有密論列57者。余大惶怖，不敢言，亦不敢遂已，盡將家中所有銅器等物，欲赴外廷58投進59。到越，已移幸四明。不敢留家中，並寫本書寄剡。後官軍收叛卒，取去，聞盡入故李將軍家。所謂「巋然獨存」者，無慮十去五六矣。惟有書畫硯墨可五七簏60，更不忍置他所，常有臥榻下，手自開闔。

---

52 巋然獨存：高峻屹立，孤自存在。形容變亂之後唯一存留的人或事。

53 敕局刪定官：職掌收集詔書並編纂成書的官員。

54 駐蹕：皇帝途中駐紮。

55 玟：音ㄇㄣˊ；美石。

56 頒金：把玉壺送給金人，意即通敵。頒，分賜。

57 論列：宋代言官上書檢舉彈劾稱「論列」。此指告密。

58 外廷：外朝，與禁中相對。

59 投進：《宋史．職官志》：「符寶郎二人，掌外廷符寶之事，禁中別有內符寶郎。」青銅器屬於符寶之類，故欲赴外廷投進。

60 簏：音ㄌㄨˋ；竹子編成的箱子。

在會稽，卜居士民鐘氏舍，忽一夕，穴壁負[61]五簏去。余悲慟不得活，重立賞收贖。後二日，鄰人鐘復皓出十八軸求賞，故知其盜不遠矣。萬計求之，其餘遂牢不可出。今知盡爲吳說運使[62]賤價得之。所謂「巋然獨存」者，乃十去其七八。所有一二殘零不成部帙書冊，三數種平平書帖，猶復愛惜如護頭目，何愚也邪！

今日忽閱此書，如見故人。因憶侯在東萊靜治堂，裝卷初就，芸籤[63]縹帶[64]，來十卷作一帙。每日晚，吏散，輒校勘二卷，跋題一卷。此二千卷，有題跋者五百卷耳。今手澤如新，而墓木已拱[65]，悲夫！

昔蕭繹江陵陷沒，不惜國亡而毀裂書畫[66]；楊廣[67]江都傾覆，不悲身死而復取圖書。豈人性之所著，生死不能忘歟？或者天意以余菲薄，不足以享此尤物邪？抑亦死者有知，猶斤斤愛惜，不肯留人間邪？何得之艱而失之易也！

---

61 負：揹負。

62 吳說運使：吳說，人名，當時著名書畫家，曾任福建路轉運判官。運使，轉運使的簡稱。

63 芸籤：書籤。

64 縹帶：淡青色的帶子，用以捆綁書冊。

65 墓木已拱：比喻人死已久，當時趙明誠已去逝六年。

66 毀裂書畫：蕭繹，晉元帝，魏兵攻陷江陵時，蕭繹命舍人焚古今圖書十四萬卷。

67 楊廣：隋煬帝。

嗚呼！余自少陸機[68]作賦之二年[69]，至過蘧瑗[70]知非之兩歲[71]，三十四年之間，憂患得失，何其多也！然有有必有無，有聚必有散，乃理之常。人亡弓，人得之，又胡足道？[72]所以區區記其終始者，亦欲為後世好古博雅者之戒云。

紹興二年玄黑弋歲[73]壯月[74]朔甲寅，易安室[75]題。

---

68 陸機：西晉著名文學家。

69 二年：李清照十八歲時嫁趙明誠，而陸機二十歲作《文賦》，故云少二年。

70 蘧瑗：字伯玉，春秋時衛國大夫，年五十時而知四十九之非。

71 兩歲：清照時年五十二。

72 人亡弓，人得之，又胡足道：出楚王亡弓的典故，楚王遺失弓矢，左右請求尋找，王曰：「止，楚王失弓，楚人得之，又何求之！」。

73 玄黑弋歲：《爾雅．釋天》：「太歲在壬曰玄黑弋。」紹興二年，歲在壬子，故云。

74 壯月：舊曆八月的別稱。

75 易安室：李清照室名。

搬家的扁蝸牛

凌拂

一

我跟蝸牛生活了一年，牠的慢與靜，充滿了深邃的思維。但是當我寫完牠的故事，桌上還放著一份朋友傳來的扁蝸牛防治資料。資料上說，扁蝸牛是葡萄園裡嚴重有害動物。傳統防治方法效果不彰，利用寶特瓶來防治，則可達到百分之九十五至百分之百的防治效果。

方法是以廢棄的寶特瓶，剪斷底部及頸部，去頭去尾後縱向剖開瓶身，然後將剖開的寶特瓶套入葡萄莖幹；剪斷瓶頸時，當注意大小與葡萄莖幹粗細配合。爲便於操作，高度可齊胸，套上後，若瓶口有鬆弛情況，可以膠布黏合或打洞以鐵絲固定，以免空隙過大。當瓶口與套住的莖幹密合，扁蝸牛從地面沿莖幹底部往上爬時，通過寶特瓶底部開口，到達寶特瓶頸部時，因無法通過，全部的扁蝸牛會累積在寶特瓶內呈休眠狀。扁蝸牛全部被阻隔無法往上爬，在日光照射下，經過一段時日則陸續死亡或掉落，既利用廢物，又可經年長期使用，且考量農藥殘毒，兼顧環保，是一新突破的防治技術，值得推薦葡萄園利用。

二

以上云云，來自於有機農業資訊網站。

從生產的角度看，的確是的，人類比什麼都優越。生態、環境、土地倫理，當人類面對這樣的問題時，天人交戰，永遠有許多矛盾與衝突。如何拿捏才能恰如其分？覺醒與智慧，人類在面對環境時，這永遠是一個嚴酷的考驗。

大自然從來不說一句話，也無所謂殘忍與不殘忍。我沒有葡萄園，也無關生計，比起果農，面對扁蝸牛，我的心情輕暢多了，這是一個相對論的問題。儘管我的院子裡，確實有爲數不少的扁蝸牛，牠們啃掉花草，咬斷芽心，可是那無關生產，因爲我不是農民，所以關於農務，蟲害處理的方式與生態環境，也無法盡是書生之見，免落何不食肉糜之譏。

不過，也正因爲這樣的餘裕，不同的角度展現了另一種生活與物種間的互動情質，異時異地異位的相處，我順從院子裡的扁蝸牛，任之隨其本性，算是不同生活的多樣性，展現的是另一層面的相融、共存、理解與觀察。

三

蝸牛囿於動作緩慢，區域性很強，是行不遠的小動物，可是與我同住的小蝸牛因於偶然與無心，牠眞的隨我搬家，行了很遠的路。一年了，牠仍然活得好好的，在我家裡來來去去。或許牠不像德國蟑螂一樣，但由於人爲，移動頻繁，難保牠不會夾藏在貨櫃中乘船，就像隨我搬家一樣，越過大洲大洋，去到世界的另一個地方。物種的遷移和整個大自然的環節一樣，有太多無法完全測知，隱在的必然與偶然。

四

蝸牛與我共居一室，彼此相安，互不相擾，這是個眞實的生活故事。

我一直覺得好故事是因爲眞有其事，以眞實爲經緯，它是編的，也不是編的。故事之所以需要編纂，是因爲收成文字。轉折、關鍵需要剪裁順應文氣，像一盤大廚的菜，摘根去籽，只取精華，截取適當部位；連大廚信手拈撒的鹽巴以及那麼一點調汁醬料，其實都是工夫，經驗裡篩選試煉，設計過的。端出來的只有眞實不行，背後是一番心血。

　書裡的好故事不少，可是我總覺得故事好，好不過生命中的眞實。好故事裡眞正磨得血肉之軀入木三分的，不出眞相。文學不必全盤皆眞，只消讓那三分眞實出味，已足夠動惑人心。以眞實人生做底，杜撰是因爲相較於眞實，捕風捉影，哪怕童話，連魔幻裡也有三分寫實，不信你去看看。

　故事如宴席，向生活裡取。眞材實料需要有人摘取、調和。如果少了材料，只有大廚的手，耐得了若何？好故事裡至少也見得三分眞實發光，杜撰要有三分顏色。

　扁蝸牛隨我一起搬家，是因於無心，但是，島嶼行移，也因爲這樣，牠之於我有了不一樣的氛圍，近臉相對，整個世界的浩大，全在牠的慢與靜之中。與物相處，牠引發我更多對不可思議的生命的探尋。

大水河畔的童年

鄭清文

我出生在桃園鄉下，卻在舊鎮長大。因此，我擁有兩個童年，也擁有兩個故鄉。

我在桃園鄉下看到了農民的辛勞，在舊鎮體會到庶民的勤勉。

舊鎮曾經是個孤獨的小鎮。

舊鎮離開臺北不遠，又有縱貫公路拂過邊緣，交通相當方便，但是舊鎮的人相當保守，不喜歡移動，在我的記憶中，和外界相當隔絕。

舊鎮一直是個平凡而平靜的小鎮，那裏甚至連一家旅館都沒有，把一切繁華讓給鄰近的臺北。

實際上，舊鎮只有一條長長的街，南邊劃過大水河。那裏和許多古老的城鎮一樣，最多的是廟宇。

世界的大城市，十之八九擁有一條河川。舊鎮雖然不大，卻也如此。

「一府二鹿三舊鎮」，舊鎮曾經是古臺灣的重要商埠之一，大陸來的帆船可以由大水河直駛到舊鎮來。

舊鎮的興盛全在這一條大水河，後來舊鎮的衰退也一樣全在這一條大水河。大水河的淤淺斷送了活動的命脈。

舊鎮的最大盛事，似不是五月初一的大眾爺廟的大拜拜，而是夏秋之際颱風帶來的大水。每次颱風一來，河水高漲，舊鎮四周全都沒入汪洋。

有一次，我冒著暴風雨，也冒著被大人責罵的危險，爬到屋頂上去看大水，看到遠處農家的竹圍已半截淹入水中，舊鎮像一個浮起的孤島。從前，人相信風水，喜歡傳說的時候，發現這孤島像一只大竹筏，就指稱舊鎮是個竹筏穴了。

每一條河，都有流不完的故事，形成了一部壯大的歷史。和這比較，舊鎮只能說是一段小插曲而已。

實際上，我的眞正的童年，也是在那一條大水河。

幾乎，所有的舊鎮的人都和大水河發生過關係。

我曾經在那裏游泳，也曾經在那裏釣過魚。

大水河邊的小孩，大部分都會游泳。不過，似乎每個人都要沉水一次。我也不例外。大人把你拉起來，還到你家要豬腳麵線吃，免得水鬼來找麻煩。

實際上，大部分的小孩，是不准到大水河游泳的。「水火無情」，是一代一代傳下來的警語。不過，有些家庭較鬆，有些家庭卻是嚴格執行的。

那時候，我們小孩下水都要脫光衣服。這樣子一方面可以不弄濕衣服，一方面也可以瞞過大人。不過，大人也有辦法，只要用指甲在皮膚上一刮，看看是否有白痕，就可以查出是否下過水了。

添財大我二歲，也是我們的游泳伴之一。他家只有這個獨生子，他母親找不到人，就先到河邊找。我們經常看到添財光著身子在河堤上奔逃，他的母親在後面緊追著，一手拿著竹枝，一手抓著他的衣褲。

在大水河游泳，最有趣的是「坐波」。一到中秋之後，東風吹起，和水流逆衝，掀起一稜一稜的波浪，我們一群小孩，走到上游，進入水中，利用立泳，頂著波浪漂流下去。那種感覺，眞的有如乘風破浪。

小時候，老師、家長、朋友，似乎沒有一個人督促你讀書，離開了學校，全是自己的時間。那時，我最大的樂趣就是釣魚。我不但白天釣魚，有時也在晚上釣魚。

晚上，一個人蹲在河邊，在釣竿的末端繫一個小鈴子，有時也繫一根香條。有時，魚拉得凶，把釣竿末端拉進水裏，香火嗤的熄滅。在黑夜，我心裏雖然有點害怕，還是不願走開，用手握住釣竿，憑手的感覺釣下去。

我有時在岸上釣魚，有時也會下水去摸蝦子。

從地勢而言，舊鎮這邊高，對岸低，所以這邊街道就在河邊，而那邊是一片沙灘，一片種番薯、甘蔗和花生的沙地，人煙稀少，無法享受大水河的便利。

因為舊鎮緊靠大水河興建，河水就在街道底下流著。聽說，以前曾經有一條街道整條被刮進水裏。所以，就在街道與河道之間的斜坡上，安著一條一條的石龍，有石頭的，也有紅磚的。我們就伸手到這些石龍的縫裏去摸蝦子。

以前，由於知識的不足和誤導，聽說生的蝦子可以防止流鼻血，我也曾經把摸到的蝦子剝殼生吃。幸好，那時河水還相當清淨，沒有吃到寄生蟲。

到了旱季，河水低退，人可以涉水而過。那時候，我們就會到對岸去摸蜆子。

大水河，流到舊鎮的這一段，河岸河底，全是清淨的黑沙。在沙灘接近河水的地方，沙還濕著，我們在沙灘上找一個個橄欖型的小洞，用手一挖，就挖出一個個黃橙橙的蜆子。蜆子可以煮湯，也可以用刀剝開泡在大蒜醬油裏，是吃稀飯的佳餚。

有一次，我跟大人去照魚。在晚上，我們提著電石燈，往水裏一照，魚都楞住了，我們再用魚叉、魚網或魚罩捉牠。有一次，罩到一條九斤重的大鱸魚，大人還以為是魚精，不敢捉牠。後來，叫別人來，用電把牠電翻。

大水河，最令我懷念的風景是那裏的渡船。就是現在，我一閉眼，依然會看到那渡船孤獨的影子。

大水河的渡船是二十四小時服務的。不論是晴天或雨天，船夫都守在渡船上。

舊鎮沒有火車，戰時，我到桃園親戚家要點米糧，因為汽車的班次少，必須坐火車回來，在對岸的城鎮下車，再走將近一小時的路來到河邊坐渡船。有時，坐晚班車，就要摸黑回來了。

我一個人走夜路，心裏非常害怕。聽說路邊的竹叢裏，出現過吊死鬼，有時也怕野狗，有一段時期也聽說甘蔗園出現過狗熊，而後走到沙灘上，又怕找不到渡船。因爲渡船停靠的地方，是經常移動的。每次大水一來，河道變形，渡船站也隨著遷移了。我要走到看得見渡船的地方，才可以放心。

渡船站，是用河沙堆成的。船夫用沙耙子把河裏的沙撈起來堆成一條長長的沙岬。在晚上，有時就在沙岬上插著一根樹枝，掛上一盞油燈。有時，卻連油燈也沒有，要走到近處才能看見。

我走到渡船站，就鬆了一口氣，同時也會想到船夫整天守著那一條船，連三餐都要家人送過來。晚上不但要一個人守在河邊，而且隨叫隨起。有時，深夜我們走到河堤望過去，依稀可以看到船影，還可以聽到河灘上野狗群長嗥的聲音。大人說，那種嗥聲叫「吹狗螺」，是狗看到了不祥的東西。

那時候，我就想到船夫的孤獨和勇敢。實際上，我也曾經想過，如果膽子大一點，我也很想去當船夫。

舊鎭對岸的沙灘，是一片肥沃的沖積地，在我懂事的時候，已是一片乾田，種著多種蔬菜和雜糧。舊鎭的人，常去那邊撿拾一些殘遺的農作物。這些「拾穗」的人，坐渡船是免費的。開始我不敢，後來也跟他們過去了。

我也跟他們去挖蚯蚓。那裏的蚯蚓有筷子那麼粗，一挖起來，就縮成圈狀。我們挖蚯蚓來養鴨子，或賣給別人。有一次，我還跟大一點的小孩去那邊打獵。聽說那邊的蕃薯園有野兔。我們帶了狗去，看到小洞，就叫狗邊聞邊挖。我們把一片蕃薯園挖成一條一條的壕溝，最後才捉到一隻老鼠。那時，沙灘上，也有很多雲雀，高高的飛在天空中，有人說，那底下一定有鳥窩，結果一個都沒有找到。後來，我們才知道雲雀的聰明，是故意把我們引開的吧。

除了渡船以外，河上也經常有貨船駛過。貨船要比渡船大一點。渡船是兩岸來回，而貨船卻是順水，或逆水行駛。所載的貨物有砂石、紅磚、家具、稻草或水肥。

小時候，載紅磚的貨船一到河堤下的碼頭，我們就去幫忙把紅磚抬上來。這種工作，也可以賺到一點零用錢。

至於稻草，那是製紙用的，經常堆了一大堆在碼頭上面的石階上等著船期。我們喜歡在草堆裏打滾，使得皮膚都紅腫起來。

有時，我們也會偷抽一小綑稻草出來，或撿一張檳榔樹葉當做馬，在紅磚的河堤上滑著。

對我而言，戰爭的結束，幾乎也是童年的結束。不過，在戰爭期間，大水河邊也發生了兩三件值得記憶的事。

有一次，有一個日本的傳令兵從對岸來舊鎮，剛好碰到颱風，河水高漲，渡船也暫時停擺。日本兵把衣服脫下，綁在頭上，企圖游泳過來，但游到一半又折回去。不幸，頭上的衣物和刺刀被水沖走。過了一兩天，河水還未全退，一排一排的日本兵就在河裏尋找刺刀。日本軍人常說，武裝就是軍人的生命。許多鎮民到河堤上觀看，「只爲了一把刺刀」，有的笑他們傻瓜，有的佩服他們認眞負責。

另外一次，就是美國飛機格拉曼掃射渡船。因爲當時平民軍隊化，剛好船上有個軍裝的平民，美機俯衝掃射。船上有人被打死，我們有一位老師屁股被打了一個洞。那時，我們在河邊釣魚，飛機是由舊鎮這邊飛過去的，如果是從對岸飛過來，就不知會有什麼後果了。

還有一次，就是美國飛機晚上來丟炸彈。炸彈把整個大地都搖動了。翌日起來，才知道炸彈都是丟在對岸沒有人居住的沙灘上，在沙灘上挖了好幾個小池塘大的窟窿，四周撒滿炸彈的碎片。那時，開始有人傳說，有人在昨天晚上看到觀音菩薩站在雲端，用拂塵把炸彈撥開，才沒有掉在鎮上。

童年，我在大水河畔的生活，是有趣、豐富，也充滿著風險的。有一次，颱風過後兩三天，河水還沒有全退，我就跟著幾個大一點的孩子，想游到中間的沙洲。後來氣力不夠，如果沒有人拉著我，就有可能流過沙洲了。

戰爭以後，我到臺北唸書，也學會了打球，也漸漸和大水河疏遠了。

那以後，大水河也漸漸改變了風貌。

先是上流山區，濫伐森林，不能保持水分，而且有大量泥沙流下來，使河水淤淺。

然後，人們在上游建築水壩，又把河水引導去灌溉。平時下游沒有水，一旦刮起颱風，水壩開始洩洪，雙管齊下，有一次大颱風，幾乎把舊鎮這個大竹筏沖走了。

然後，有人開始採砂石。

然後，人們在河上架了橋。自從有了橋之後，就不容易看到船影了。

然後，人們開始把污水放進大水河裡了。

以前，我在河裏游泳，喜歡放低眼睛，使視線接近水面。那樣子，我會覺得河面特別寬，特別大。我看著水流載著一點小水泡，或草屑，從很遠的地方流過來，而後流到很遠的地方去。這時，水流好像已變成了時間。

這時，我會想起很多事。我會想起長輩說給我們聽的故事。他們說，以前，舊鎮住著泉州人，對岸住著漳州人。對內，大家都很團結，對外，卻不謙讓。所以，一衝突起來，小事變大事，以致經常發生械鬥。有一次大械鬥，互相殺死了好多人，使這條河的河水都染紅了。

現在，舊鎮已變成一個大城市了，而這一些也都已變成過去了。我離開舊鎮也已有二十年了。有一天，我回去舊鎮看親友，還特別走到大水河邊。誰知道人一接近，就聞到一股臭氣。河水已完全變成黑色了。河面浮著許多污物。那乾淨的河沙，已染滿油垢。大水河已變成黑水河了。

我放眼再看一次，這裏已看不到任何船隻了，也看不到接近河邊的小孩了。

聽說，有關當局正在計畫整治這條大水河。但是，不管如何，大水河也將繼續流下去吧。

人與病原，終無寧日

江漢聲

細談傳染病原和人類的戰役，可以說是一部人類醫學的開發史，也可以說是人類救亡圖存的歷史。

細菌學家勤薩（Hans Zinsser）曾說：「許多戰役都是靠傳染病來定勝負，歷史上鼠疫、霍亂、班疹傷寒和痢疾，這些病原的兄弟姊妹所打贏的戰爭，要比凱撒、拿破崙或任何一位名將都多。往往史學家把戰敗的原因歸咎於傳染病，戰勝歸功於某位名將。事實剛好相反，因爲打勝仗的其實是病原，名將只是收拾殘局而已，戰敗反而要怪軍旅不懂得防疫……」

戰爭與瘟疫

斯巴達和雅典的決戰，是歷史記載上較早的著名傳染病之疫。西元前四百三十年，雅典爆發嚴重的瘟疫（經考證爲班疹傷寒），這時候斯巴達軍隊逼近雅典城，進行最後決戰。他們從雅典逃兵口中得知，城內瘟疫橫行、死亡枕藉，於是斯巴達的指揮官下令悄悄撤兵。因爲他知道他們已經不戰而勝了，萬一再進城去染到瘟疫，豈不兩敗俱傷，所以整個雅典其實是敗在瘟疫手裡的。如果要考據更早的記載，應該是聖經上說的非利士人從以色列人搶走了上帝的約櫃，引發了鼠疫，最後非利士人只好歸還約櫃，並附上五隻金老鼠當作賠罪的禮物；從那時候開始，人類就知道老鼠是散播人類傳染病原的罪魁禍首。

人類甚至把傳染病原當成戰爭的工具。鼠疫造成十中世紀歐洲的大災難，相傳蒙古人在中亞戰爭中把鼠疫病人的屍體丟到城內，然後鼠疫再傳到歐洲，使許多城市、鄉村的人口幾乎滅絕。

雖然如此，相形之下，歐洲人要更可惡，一五二〇年西班牙在南美洲用天花做爲秘密武器，把病人送入阿茲提克帝國，引起非常可怕的大傳染。原本文化鼎盛的坷茲提克帝國和印加帝國有兩千萬人口，在一個世紀後剩下一百六十萬人，完全是因爲各種傳染病的橫行。

傳染病在東方或中國也送一樣的。西南邊陲的蠱毒瘴癘也就是後來所知道的瘧疾，自古以來是軍旅水土不服或導致全軍覆沒的原因。而霍亂和其他的胃腸道傳染病在中國的古代醫學稱爲「痧疫」，在清道光年間由南方傳向北方，死亡率達百分之五十，被形容是屠城滅村的禍害；日軍要來占領臺灣時，有百分之二十的軍人死於霍亂，他們受到的抵抗還顯得微不足道，加上臺灣其他傳染病的流行，使得日本人甚至一度想放棄臺灣，把它轉賣給法國。所以在人與傳染病的戰爭中，其實是病原占上風的。

從生態學來看，傳染病事實上也是控制人口的主要因子，當人口膨脹到某個程度的時候，傳染病可以最快的方式來消滅入口。像一三五〇年左右的歐洲黑死病，呑噬了約兩千萬的三分之一人口，而一九一八年的流行性感冒，也殲滅了四千萬人，這些不是任何一次大戰或屠殺所能比擬的。更有趣的是，當傳染病殲滅人口到某種一個程度時，就自動消聲匿跡，而人口成長到一個程度時，傳染病可能又以另一個面貌出現，像歐洲在兩千年的時間內，麻瘋和結核就這樣交替流行。

人類開始正面迎戰病原

人類一開始不能戰勝病原，主要是醫學不夠發達，連病原是什麼東西、怎麼傳染的都搞不清楚，更遑論去治療或防疫了。很多傳染病原老早存在這個世界上，目前靠一些症狀或後遺症，我們還可以診斷出來，例如：四千年前埃及的木乃伊可看到典型的骨結核；兩千七百年前印度的古籍就記載瘧疾的典型「打擺子」症狀；其他很多腹瀉、發熱、呼吸道的傳染病，由於沒有細菌、病毒學的證據，無法判定古代一些「大疫」的記載，是否和現代霍亂、傷寒或流行性感冒爲同種的病原。直到一六七四年，雷文霍克在顯徵鏡中看到了細菌；巴斯德在十九世紀提出「病原說」；這才消除人們把傳染病看成妖魔鬼怪的想法，開始正式和病原面對面作戰。

從建立「病原說」到今天的一百三十年之間，醫學快速的發展，使我們對傳染病開始掌握了一些勝利。人類所用的控制方法不外是「發現病原—發明藥物—製造疫苗—建立防疫系統」，最有名的故事像是，艾利希發現可以對抗梅毒的六〇六；佛來明發現青黴素，開啓抗生素的世界；柯霍發現結核菌，而瓦克斯曼發現了鏈黴素，來治療結核；巴斯德以疫苗治療狂犬病；到恩德斯培養出小兒痲痺的病毒，而使沙克疫苗問世等等。

這些勝利的成果包括，以往的瘟疫像鼠疫、霍亂、瘧疾在文明乾淨的世界裡絕跡，例如一九七九年，世界衛生組織宣布天花已經在文明世界消聲匿跡了；許多廣泛的傳染病像結核、梅毒、小兒痲痺受到控制。最主要的是，人類免除以往對瘟疫那種無知的恐懼，而學會以公共衛生的防疫對病原進行有組織的作戰。

然而，人類的勝利並非全面的，只是表面的；因爲病原這天敵並沒有被消滅，而且隨著人類科技文明，有更進一層的演化。可以這麼說，沒有一種病原是「完完全全」被消滅的，雖然原始「天花」病毒可能不見了，但一九五八年出現「猴痘」，一九七〇年首度侵襲人類；原本的淋菌非常脆弱、不堪一擊，之後卻出現「抗青黴素淋菌」；梅毒、結核在短期內受到控制，之後又開始反撲，在臺灣和其他文明國家，一九九〇年後，結核病的病例開始回升。

更糟糕的是，大部分的傳染病病原只是不出現在防疫良好的社會而已，而可能在廣大的落後地區流行。到目前爲止，全世界每年還是有三至五億人感染瘧疾，已經奪去一百萬條非洲小孩的生命；霍亂與各種下痢的傳染病，以及寄生蟲的疾病，在第三世界到處可見，地球上這些原本在局部流行的傳染病原，隨著交通發達、旅遊便利、無時無刻不威脅到我們每一個人，事實告訴我們，以往任何一種瘟疫的夢魘，都還沒過去，而且變得更毒、更兇，只要我們一有疏漏，瘟疫災離的悲劇隨時隨地會在人類歷史上重演。

病原不斷演變

比這更可怕的是新病原的出現，似乎不斷在考驗人類醫學的智慧，甚至可以用「道高一尺，魔高一丈」來形容。從上個世紀以來，新的病原不斷出現，讓人眼花撩亂，有些是新發現的病原，有些是演化變種的病原，有些是原本不會危害人類，現在卻變成有害的病原。這告訴我們一種事實，那就是病原依隨人類而改變。人類隨環境變遷、行為開放、濫用藥物、抵抗力變弱，也就使得病原的生態發生變化，一切還是人類咎由自取。雖然因為醫藥發達，以及耕地農產增加，使得各種死亡率下降、人口快速成長，但也因為環境擁擠、人畜雜居，引起病原的加速演化。

就拿引起許多種腦炎、出血熱的樹狀病毒來說，以往只寄生在昆蟲、蝨子身上，如今，在種類將近五百種的這類病毒中，有些經過演化，隨著環境改變，已有近一百種會感染人類。除了引起黃熱病之外、各種各樣的傳染性腦炎、登革熱及類似的出血熱，經由蚊子傳染人體，並散布到全世界。從類似的「舊源新變」過程產生許多新病原，所帶來的新型傳染病還包括漢他病毒出血熱、萊姆病、退伍軍人症等等。

退伍軍人症這種「非典型肺炎」出現時，引發了一陣驚慌，而最近流行的SARS如出一轍，SARS的病原是冠狀病毒，在微生物學的考證上，也屬於一種的「舊源新變」，不過更奇特的是，它從果子狸等其他的動物身上，轉成侵犯人類的病原，而且在人類之間造成更快速的傳染。由於人類完全對這種病毒沒有經驗和抵抗力，短期之內的流行，對現代的人類社會帶來相當的殺傷力。

「舊源新變」、「從別的動物到人類」，加上「無毒變有毒」，然後造成傳染病在人類的大流行，似乎是新病原給現代醫學的新考驗。不過，病原也經過幾種不同的型態來散布：一是由人類的特異行爲來傳染，像愛滋病；一是病原的耐受長存性增進，像狂牛症；另外就是病原發生雜交變異，像禽流感。

一九八〇年代開始流行的愛滋病對人類產生的新震撼是，不正常的性行爲所引起的性病會致命。性病在傳染病的流行中有一定的角色，有些性行爲所傳染的疾病由於症狀輕微、不容易發現，所以可能在人群中廣爲流傳散布，像披衣菌感染所造成的尿道炎或婦女骨盆腔發炎，可以在某個人口族群中占百分之十以上，比任何傳染病來得更普遍。性病似乎也比任何一種傳染病更難消滅、更難防治，也許是因爲有人類就有性行爲、有性行爲就可能使任何一種性病永遠存在，性行爲日趨複雜、肛交、濫交也日益普遍，愛滋病對這些浮濫複雜的性行爲來說，是否成爲一種懲罰？對於現代社會來說，這威脅到兩性關係與人際交流，也重新考驗人類社會對抗性傳染病的策略，以及如何爲愛滋病病人做全人全程的治療。目前可以明顯看出，愛滋病毒已逐漸受到控制當中，然而這新的性病只是對人類的一個警訊而已，未來會有更可怕的病原藉著性行爲來散播嗎？從愛滋病毒的發生與起源來看，似乎是可能的。

另外一種恐怖的傳染病，則引發人類對食物的新恐慌。一種腦部退化成海綿般的病變，引起人類的精神變異、呆滯乃至死亡、而且病原竟然來自作爲食物的牛、羊肉品。這種病變也就是狂牛症，病原可以在人體內潛伏相當久的時間，完全沒有急性傳染的徵兆，更可怕的是，這種新病原的發現已經跨越了以往醫學知識對病原的瞭解範疇。狂牛症的病原「普恩」不能稱爲生物，卻是具有傳染能力的有毒蛋白，存在人類食物中的普恩蛋白、無法用一般的高溫或冷凍消滅。這就好像病原在人類食物中下毒一樣，直接使我們的生活飲食潛藏危機，也使現代社會對於飲食衛生所必需的防疫，需要做另外一種思考。

近幾個世紀以來，幾乎有名的人類傳染病都與動物有關，從天花和牛痘、狂犬病、愛滋病和猴子、瘋羊和狂牛，動物都扮演了相當的角色。然而殺傷力最強的傳染病，卻是來自於家禽、家畜雜居所帶來的流行性感冒，就像一九一八年的豬型流感，帶走四千多萬人的性命。每次的流行性感冒就像新病原向人類示威一樣，人類發展出來的疫苗總是緩不濟急，病原可以在禽畜間混種雜交，演化成對付人類的新武器，毫無抵抗力的人類只能以現代的醫療和防疫來應變，造成一波波對社會經濟的衝擊，正在進行的禽流感即是如此。

人與病原終無寧日

細談傳染病原和人類的戰役，可以說是一部人類醫學的開發史，也可以說是人類救亡圖存的歷史，也許這就是物種演化所說的，在生態改變中「適者生存」的現象。人類的文明造就了更可怕的病原，反過頭來考驗自己是否有更進一步生存發展的能力，所以病原不會被人類打敗或消滅，病原與人類的戰爭不僅要持續下去，還會更多、更激烈，我們能不能在未來這些戰爭中毫髮無傷，那就要靠醫學的智慧以及人類相互扶持的力量了。

——出自《醫者的智慧：漫漫醫學路》，江漢聲著，遠見天下文化出版股份有限公司出版

茇濃溪畔的六龜

劉克襄

冬初時，前往六龜旅行，是要去圓夢的，因為在臺灣自然誌的光譜中，六龜是最亮的一顆。我隨身攜帶了兩個背包。小背包掛在肩上，裡面擺著地圖、衣物、望遠鏡和鳥類圖鑑，輕盈而無負擔。大背包卻扛在心上，存藏著百年來各類有關六龜地區的自然人文，沉重得難以負荷。

凌晨，我和同事小曾從臺北南下，抵達六龜時，正逢清晨的霧雨，這是欣賞六龜的好時機。陰雨的六龜曾被譽為臺灣的桂林。一百年前，英國攝影家湯姆生（J.Thomson）扛著笨重的攝影器材，抵達茇濃溪西岸，仰望十八羅漢山時，就如此讚歎：「二百公尺高的連續險岸聳然壁立，俯瞰著乾河床，成為筆墨難以形容的迷人風景。」「世界上已難有一地，能指望比臺灣的自然環境更好了。」但湯姆生並沒有跨過茇濃溪，進入更美麗的中央山脈，因為一個月前，有二個漢人試圖到對岸，結果，被出草的布農族襲殺。

茇濃溪源自北邊的玉山，穿越我們島上最晚探勘的南玉山區，流經這裡時，將大地劃分成二個世界。百年前，東岸仍然是布農族的國土，西岸到月世界的惡地形才散居著平埔族，與客家人混居。但百年後，走在六龜的街上，誰是平埔族的後裔已難辨識。溫馴、誠實的平埔族早被漢人同化，對岸的布農族也遷移了，部落舊址杳然無存。

不同的時代，不同的旅行方式。我們搭乘這世紀對自然最具威脅性的交通工具——汽車，帶著透過車窗所擁有的、了無意義的地理印象，輕易渡橋。然後，換搭林試所的吉甫車，前往十五萬分之一地圖仍然沒有登記的南鳳山。地圖上雖然沒有姓名，南鳳山可是小巨人，海拔高達一千七百公尺。頂峰旁的小屋，像隻赤腹山雀般，小巧地偎在它的肩上。今晚，我們準備在那裡與森林過夜，明晨再翻山去扇平。

鳥畫家何華仁，戴著野鳥學會的迷彩帽，站在一座小橋，等候我們。瘦小的他，才在六龜蟄居一年，如今卻是最熟悉這裡動物地理相的人。過了橋，吉普車吃力地爬上陡坡，顛簸地穿過濃霧的林間小道。

車上，除了司機，我們三位旅行人，還載著兩天的口糧：粗麵、麵筋、瓜子肉罐頭。臺灣的山上已有太多垃圾，隨身只帶這些吃的東西，夠了。

吉普車穿過山黃麻的山麓，進入臺灣杉的世界；我們正經過典型的臺灣中海拔。日子入秋，檸檬桉正要嘩然落葉，仍有其他草木勇健地迎向寒冬的天空。每處山坡都有裡白蔥木傲然盛開的金黃圓椎花叢、山芙蓉熱烈綻放的粉紅花蕊。它們使入冬的山有朝氣蓬勃的錯覺。南部的森林大抵是這樣，總覺得少了一個冬天。

車前一對雨刷，不停地揮拭著結成水滴的雨霧。這種天氣要做自然旅行，很難豐收的。獼猴不肯露面，猛禽科也不會盤飛，只能奢盼藍腹鷴。但我們經過的林間小道，不過走出幾隻小竹雞，沿著小山溝找甲蟲。較空曠的旱地，也只孤立著鶺科候鳥。

第一位發現藍腹鷴的人，是英國首位駐臺領事郇和。一八六六年，郇和在臺的最後一次旅行，就是上溯荖濃溪，在這附近遇見獵人圍捕水鹿。他原本計畫由此攀登玉山，前往東海岸一個叫烏石鼻的小臺地。可惜，半路被召回中國大陸。郇和這趟旅行有許多自然誌的意義。放諸早期交通史亦然。在那個殖民主義當道的年代，六龜一直被漢人認定是上玉山的主道，外國探險者不斷。同年冬初，《老臺灣》的作者必麒麟（W. Pickering）也由此出發，在一名高砂族老婦與二名羅漢腳的引導下攀上玉山。這項傳奇，他都寫在書中。只是後來的人均抱持懷疑。冬天上玉山，皓皓白雪隻字未提，誰相信呢？

上述是六龜探險的黃金年代。又過十年。日軍侵臺，牡丹社事件爆發，沈葆禎下令開鑿八通關中路後，六龜的地位才陡然下降，一路滑跌至今。現在，想上玉山的人，泰半選擇東埔、水里一線，或從阿里山越領而去。歷史上的荖濃溪早被遺忘了。

中午，抵達南鳳山的小屋，巡山員和司機離去後，整座南鳳山剩下我們三人，還有傳說中的日本兵鬼魂。午後，霧雨更加濕重。套上雨靴，進入長滿紫花霍香薊的伐木小道，花海二旁盡是砍伐後的二次雜木林，大概三、四十年左右，充滿蒼翠盎然的生嫩，殊少蓊鬱老成的林氣。它們還要一百年，也就是二〇八八年吧？才會長成原始闊葉林的相貌，那時，它才會恢復成一八八八年清末的林相。

一隻藍磯鶇站在伐後草生地的枯枝上，銹色滿身，膽小而驚懼，大概才從北方飛來不久吧！這是今天看得最清楚的鳥類。林內傳來的鳴啼，都是常聽見的山音。近幾年，疏於入山，我的聽力銳減，常把松鼠和昆蟲的叫聲混淆，誤爲鳥鳴。六年前，旅行關渡，我教何華仁沿淡水河認鳥，現在反要靠他點醒。每年十一月，他都要在此做繫放工作。晚間掛網，清晨取鳥；測量牠們的尺寸，磅秤重量後放回。

我問他：「爲什麼不畫鳥了？」

他說：「不急於這一時，觀察久一點，畫得較準確。」

他比較樂於跟我討論羽毛和鳥巢的問題。

在這裡住久了，他的腦海似乎存有一張無形的地圖。哪裡會有什麼生物，大致都能判斷出來。我靦腆地尾隨於後，最後回到屋前的蓄水池，尋找如雷鳴的蛙聲。池中有隻墨綠的樹蛙，眉線金黃，後趾蹼帶紅。莫氏樹蛙？臺灣的樹蛙不及十種，我們竟辨識不出，只好照相記錄，或者是新種也說不定。

我們試走明天要翻越的御油山小道。面向東方的山坡有一處伐後的草原，臺灣杉不過是二三公尺的幼童期。這兒是大群斑紋鷦鶯與蜘蛛的家園。每隻鷦鶯都藏在草叢，藉聲音傳遞訊息。等了約莫半小時，只聞滿山鶯啼，竟不見一隻。蜘蛛則在杉樹到處張網，結成立體狀的大迷宮，有的狀若燈籠，牢固地足以捕捉大牠們百倍的鷦鶯。

回途，遇上一隻鼬獾，踽踽獨行，暴躁地向我們發出咕噥聲。我們似乎擋住牠的去路。對峙十數秒後，牠才不情願地放棄，鑽入草叢裡。通常，在潮濕的原始林或次生林下，鼬獾的足跡最容易辨認，親眼看到卻不容易。每回上山，遇見哺乳類，我總會心驚，悲憫地心驚。我害怕自己看到的，都有可能是最後的幾隻。

五點，山上的夜來得快；費了一陣時間轉動柴油發電機，這才帶動小屋的日光燈發亮。屋內略有山上慣常的陰溼霉味，但比我經驗中的其他高山小屋乾燥。房間內除了木床和桌椅外，還有一具時鐘與電視。電視是這兒唯一能和山下單向溝通的工具。看守小屋的，通常是一位巡山員，他得獨對森林與電視。按何華仁的經驗，假如一個月不下山，只看電視新聞，足夠知道山下發生何事了。但一個人整天和電視做伴，是什麼樣的日子呢？有些自然科學家還希望電視也不要，讓自己更專注於野外工作。他們多半不喜歡與人、與都市接觸，更遑論溝通。

三年前，耶誕夜後一天，靈長類學者戴安佛西（Dian Fossey）之死就是一例，與其說她是被非洲土著謀害，還不若說是早被整個文明世界隔離。佛西生前最後幾個月，未跟人說過一句話，雖然她的同僚，只住在百公尺外的另一營地。

一隻白耳畫眉飛到屋前的臺灣杉，啄食寄生於上的愛玉子，這是牠今天的晚餐。我們也開始進食，瓜子肉、麵筋拌入粗麵。飯後，何華仁提手電筒，出門找貓頭鷹。我取出賞鳥記事本，花半小時，記錄今天發現的鳥種與動物。這本手掌大的記事本，沾滿汗泥與草跡，封面也磨損多處，破舊不堪。十年來，我用了三本，寫的盡是鳥事，除了何月何時何地，加上各類鳥名和植物學名，還有一大堆數目字。最近許是年紀大了，漸漸對數目字感到寒心，害怕某種疏離感的侵噬——

雖然數目字透露許多生態的訊息。我比往常花費更多時間，添加有生活想法的文字敘述。文字敘述讓我感到厚實的溫暖，好像對童年以後，繼續活著的生命有了交代。

八點，天空露出幾顆小星，還未及辨識，又隱沒雲層。有隻領角鴞卻被吸引，發出「霧」聲；也只短吁一聲，森林又靜寂下來，只剩蓄水池的那隻樹蛙，繼續大鳴。五公分不到的身子，牠已從中午叫到現在。

不知道吸引到同伴去否，或者，那是牠的領域，正警告同類不准進來？白天的林間小道，佈滿了雨後的小水灘，成千的蝌蚪蝟集在那小小的空間裡，爭取生存的權利，等待著變成成蛙。牠們是森林中最善於利用雨水的脊椎動物。

星子隱逝後，又有連續的嗞聲，穿透闇昧闃然的夜幕。一隻白面鼯鼠像流星般劃空而來，亮著一對發光的金眼珠，倏忽掠過屋頂。牠開始上班了。對大部份動物而言，整個森林這時才開始熱鬧起來。森林是屬於夜生活的。白晝不過是鳥類、蝴蝶，還有我們這些山中過客在活動。當森林的夜市開鑼，我們卻懵然窩入發霉的被褥，蜷縮著自己，酣然入夢。

隔日清晨，西南的窗口陳列著淡黃的曙光和清遠的淡雲。從窗口的景色研判，何華仁起身的第一句話就說：「太陽出來，猛禽科也該現身了。」太陽一出，山谷會有蒸騰而上的熱氣流，猛禽科知道如何利用熱氣流的對流原理。藉它的運送，不斷地盤飛、滑行，升至頂空，鳥瞰下面的森林。

我們走出門，滿山盡是迎接陽光的鳥語。果然，一隻碩大的林雕，從御油山的稜線赫然浮升，發出嬰孩起床似的哭啼。牠是臺灣最大的猛禽，傳說中會爪掠小孩的老鷹。遠遠望去，一身烏亮，只尾羽露出淡灰的細橫斑與黃爪。探鳥十年，第一次見到林雕。不知臺灣還剩下幾隻？看到這食物鏈最高階的龐然巨物浮出，對這座森林、對臺灣的高山，我有著強烈而衝動的感謝。林雕跟我們一樣餓了，一連幾天的陰雨，牠大概也蟄伏一段時候，趁這時出來覓食。我們回到屋內吃昨晚的剩物。牠仍在屋頂上空徘徊，直到我們再出發，依舊滯留在附近的山頭。

上抵御油山的稜線後，要到扇平，必須穿入濃密的檜木林。這裡有日據時期的舊碉堡與古道。古道大抵沿稜線的起伏築成；清末與日據時期，橫越中央山脈，都靠這種築路方法，艱難地翻山涉水。布農族可不興這一套，在他們眼裡，只要是大地，到處皆有路。他們也常常惡作劇，四處破壞當時的山道。日本人在開拓橫貫道時，遂遇著清末開山撫番的同樣困境，更不時傳出探勘隊遇難的消息。

一九〇九年，臺灣總督府派出的探勘隊，首度進入此地山區，企圖找出屏東與臺東間交通的橫貫道。其中一支由最北一條——六龜至臺東，採直線式橫越。結果，兩名探查的警察遭到襲殺，無功而返。時隔一年，又爲布農族阻撓；一直拖到一九二〇年代才測定，完工。這條橫貫道的打通，爲何困難重重，除了布農族不願受到入侵，採定的路線不當也是主因。日本人一直想從六龜直接橫越出雲山，然後下鹿野溪抵臺東。出雲山就站在南鳳山右側，海拔二千七，是中央山脈主軸。南鳳山和它比，只及腰肩。

這條路開通後壽命也不長，和清末的中路一樣，鳥道一線，旋開旋塞。三〇年代，連臺灣山岳會的登山人都對此路缺乏興趣，寧可繞遠道，從六龜繼續上溯荖濃溪，到北邊的關山去翻嶺，再南下臺東。日後，這條關山路遂大致成爲政府開拓的南橫公路。御油山稜線是否爲二〇年代的遺址？我對此問題充滿興趣。近年來，有些史學家也熱中古道研究，因爲中央山脈仍有許多未爲人探出的古道，掩埋在莽莽荒草中。

一路下坡。穿過參天的紅檜、墨綠的孟宗竹後，進入肖楠的原始闊葉林。這條林間小道，有二三個月沒有人跡，路面覆滿姑婆芋和其他草本植物。我們持木條不斷撥探、劈砍，仍然迷失在林心。幸好未起山霧，螞蝗和蛇類也未活動，否則勢必要延誤下山的計畫。十一月了，大部份蛇已冬眠，這時若遇到，八成是有毒的青竹絲。

走了四小時，中午才接近扇平林區。一隻藍腹鷴從頂空的林枝上竄入草叢，疾走遁失。我只看到一團大黑影，懊惱不已。去冬，一個起濃霧的清晨，何華仁曾帶著兩名探鳥人，尾隨五隻藍腹鷴，走在南鳳山的林間小道。他們保持廿公尺的間距，陪藍腹鷴家族走了兩百公尺的路，時間約十分鐘。這是我聽過，觀察藍腹鷴最不可思議的記錄！

午後，我們到水塘拜訪有名的拉圖許氏蛙。拉圖許（La Touche）是英國人，和發現貓熊的大衛神父一樣，都是早期探查中國內地動物的重要人物。一八九三年時，他從臺南府穿過惡地形，試圖來六龜探查，結果走到楠梓仙溪的杉林就放棄了。因爲瑞典的探險家霍斯特（A. P. Holst）已捷足先登，他不想重複調查，於是去了大武山山腳。昨天，在南鳳山時，我曾看到一隻孤獨的黃山雀，落腳在大霧中的枯樹上。霍斯特是最早採集黃山雀的人，第二年離臺即病死。我們因黃山雀，知道他來過六龜，也去了阿里山；但來臺一年中，他還去過哪裡呢？早年的文獻並未漏露更多的消息，留下一團迷霧給我們。

早期自然誌，前來六龜的博物學者中，拉圖許、霍斯特都是滿清末年的人物。日據時期，六龜成了京都帝國大學附設臺灣演習林事務所。聚集此地工作的學者，人才輩出，毋庸贅述。但其中有位值得一提，他是著名的蝶類專家江崎悌三。一九三二年，江崎氏第二次來臺採集，從臺東縱走關山一線，南下六龜，有一夜搭宿事務所，在發電所的電燈下，採集迄今仍未被重視的甲蟲與蛾類。六龜山水是否可比桂林，見仁見智，甲蟲與蛇類確是冠於全臺。

令人驚嘆的，這幾年，日本昆蟲學界仍有人悄悄來臺，直抵六龜，默默從事類似的基礎工作；臺灣目前最好的蝶類圖鑑，還是由八〇年代的日本學者編纂而成。

先不管日本學者了，一和他們比較，就會令人汗顏羞愧。六龜也是現時國內自然學者從事中海拔動植物調查的聖地。例如李玲玲在做獼猴生態研究、徐仁修在拍攝哺乳類動物、劉燕明在製作十六釐米自然誌的記錄片……。荖濃溪以東，象徵著我們最後的希望。沒有六龜，臺灣自然誌勢必失色不少，佔臺灣最廣的中海拔森林也無多少重要事蹟了。

黃昏時，走過金雞納處理場，一隻亞成鳥的朱鸝站在白匏子上，旁邊有傲骨瘦立的檸檬桉。這裡是臺灣最容易見到朱鸝的所在。牠也是東亞第一位賞鳥人郇和筆下，臺灣最美麗的鳥種。

何華仁跟我說：「你很幸運，才來兩天，林雕、藍腹鷴、朱鸝都看到了。」

是嗎？我透過望遠鏡遠眺，無奈地苦笑。朱鸝正在陽光下整理羽毛；右肩、左翼、尾羽。攤開，收攏，再逐一攤開，亮著透明的翡翠紅。啊！我寧可全臺灣的人都看到牠們，認識這些一起生活在島上的稀世鳥種。

海岸山脈傳奇

王文進

自從在地質學家那裡知道了「海岸山脈」的來龍去脈以後，我就對其一直有著特殊的感情。

據說這一百五十公里長的山脈本來並不屬於臺灣，其地質構造也迴異於本島岩層。是在一千多萬年前，菲律賓附近的火山島受到菲律賓海板塊向西北推移的牽動，歷經幾千公里的跋涉，終於找到意氣相投的地方，與臺灣黏附一處。

這幾年常常看到臺灣在國際舞臺上的倉皇狼狽。爲了拉攏小國島邦，使盡渾身解數，動輒想用數億美元撒金邀友，卻又常落得一夕生變，進退維谷。所以每次我在文學院四樓研究室的窗口凝視那靜靜地向南方伸延過去的海岸山脈時，就會格外珍惜這份來自洪荒天地的惺惺相惜之情。

海岸山脈帶給臺灣的，還不止於溫馨的友情而已。他其實和中央山脈早已締結著兄弟般的手足之情，雖然弟弟的高度大都只有五、六百公尺，最高峰的麻荖漏山也不過一千六百公尺左右，和成群動輒拔高三千公尺的中央山脈相較，當然顯得有些單薄。但是這對兄弟始終堅定地相互扶持、遙遙地伸直胳臂，拱護出沃野翠綠的花東縱谷，哺育無數的花東子民。

由於海岸山脈的深情相助，東臺灣在版圖上不但形成了多采多姿的縱谷平原，還多了條依山臨海的海岸公路。

我愛極了這條海岸公路。每次從東華大學一路經鳳林過光復到瑞穗，飽覽縱谷稻田蔗林的風光後，可以不必走回頭路。只要把方向盤轉向左方，就是銜接海岸公路的瑞港公路了。

瑞港公路係沿著秀姑巒溪由瑞穗到大港口的環溪山路。秀姑巒溪由臺東池上往北奔流約七十公里，在瑞穗盤桓時，愛上這多情多義的海岸山脈。不知經過多少歲月的山唱水答，終於締結了這段二十多公里的山水姻緣。秀姑巒溪於是向東纏綿廝磨而去。車行拔高的山路往下俯瞰，處處都是巨石切割的嶙峋及激流驚險，可知這場戀愛當年談得何等曲折轟烈。秀姑巒溪泛舟，若在險狀叢生時，當浩嘆昔日此處的洪荒摯愛。

隨著凌空臥波的長虹橋迎面而來，車已抵達大港口。這時右手邊是碧藍如洗的太平洋，左手邊是野草披垂如林的山岸，向北則婉蜒著小巧玲瓏的海岸公路。石梯坪當然是北上之途最先應該下來吹吹海風的地方。根據縣志二十一卷，名勝古蹟篇記載：「清光緒三年，統領吳光亮率兵開路至此，見路地如埭，突伸入海，石出排比若梯，遂稱石梯。陸上平坦，稱石梯坪。右側盡處，迤邐接連秀姑巒溪口，左側盡處，內凹成澳，稱石梯灣。灣內漣漪蕩漾，風光旖旎。」根據地質學家的說法則是石梯灣正位於軟硬岩層交界的位置，易受侵蝕而成灣。又由於岩層間軟硬的差異，硬者外突，軟者內凹，終於造出石梯狀的形態。其實石梯坪最動人的景色是黑色珊瑚礁和白色礫岩交錯相揉。有些白色礫岩還以整座山丘的姿態挺立礁岩之間，遠望之，若白色雪山凌波踏浪而來。

公路又北，「磯崎海灣」在焉。一灣圓弧形的沙岸被公路以極柔和的線條圈繞出來。地質學家又說：磯崎的北方與南方有都巒山層的硬岩出現，唯獨磯崎是大港口層軟岩的分佈地區。於是凹蝕成海灣之後，逐漸積聚了一大片差麗的沙灘。造型鮮明，暗喻著原住民豐沛生命力的浴場建築，以奇妙的均衡感矗立道旁。是我在全臺所見最具特色的浴場。公路又北，車過「蕃薯寮溪」。一邊是平緩起伏的圓頂山丘，曲流款款依傍其間，兩岸綿延著蒼翠稻田；一邊則是峽谷峻嶺，岩壁陡峭。地質學家又解釋說：「前者是大港口層頁岩區，後者則係都巒山層的火山集塊岩。」火山集塊岩質性頑硬，當然削成陡坡峭壁；大頁岩柔軟可親，得以化為良田。這些本是老生常談，令人興奮的是這樣的差異竟如此在一線之隔中大規模地演出。

公路又北，過豐濱而至水璉。水璉一帶隨處可見大小形狀的礫石。由於礫岩的質地較頁岩硬，抗蝕性強，遂有此一段陡峭的海崖景觀。水璉礫岩最可愛的是有些形狀渾圓色白，令人愛不釋手。公路又北，就是依山面海而建的「和南寺」了。寺內有一造型五丈的觀音菩薩坐像，是雕刻名家楊英風的作品。佛像以北魏剛勁簡潔的線條流瀉著慈祥莊嚴的法相。入得寺門，即有海濤梵唱四方而來，啓人深思。是臺灣東岸的佛教重鎮。

公路再北，即將進入花蓮市區。花蓮大橋橫臥花蓮溪的出海口。海岸山脈的起點即在此處。自壽豐南下，沿縱谷至瑞穗，再繞北而返，約半日行程。

一條千里來此結緣的山脈是如此地重情重義。儘管臺灣有諸多內憂外患，在國際舞臺上四顧蒼茫。這條山脈卻始終萬古不改其志，奮力捍護著花東縱谷的家園，用心描繪著太平洋海灣的美麗。

實用文書寫作

讀書報告寫作指引／康凱淋

圖文轉譯的內功心法：從視覺語彙到多層次整合／周文鵬

公文寫作／孫永忠

書信寫作／孫永忠

企劃文書寫作／孫永忠

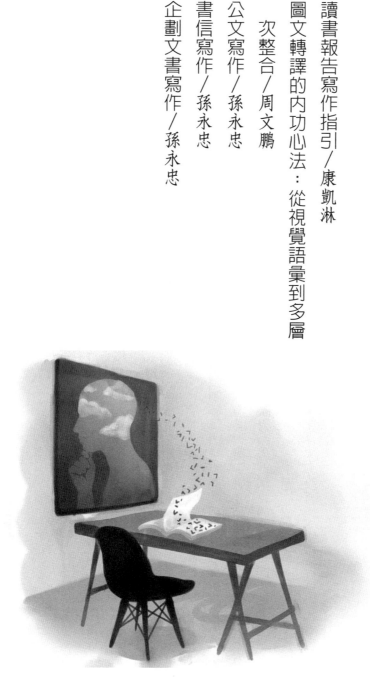

讀書報告寫作指引

康凱淋

周虎林〈學術論文寫作法〉將大學生的學術寫作分爲「學期報告」、「研究論文」兩類。「學期報告」又可再細分爲一般論文和資料整理、讀書報告、讀書評論、讀期刊論文報告、讀期刊論文評論、實驗報告（初期）、調查報告（初期）、實習報告（初期）及綜合心得報告等九小類。雖然每個學科領域的性質相異，不同種類的報告各有專屬的寫作規範、形式與側重，但在「讀書報告」此一種類來說，卻是共通互涉的寫作種類。基本上，「讀書報告」與「讀書心得」、「一般論文」有重疊相似之處，若從結構形式、章法內容的設定而言，「讀書心得」的具備要件較爲寬鬆，沒有太多限制，可因應不同的學習歷程安排撰寫方式；「一般論文」的要求最爲嚴謹，除了須具備學科研究的訓練基礎，還必須擬定研究動機、研究步驟、研究方法、前人研究成果等項目，論文架構與引註也有明確規定，至於「讀書報告」則介於二者之間。本文所定義的「讀書報告」並非專題製作類的研究報告，而是在課程中由教師指定某一主題（或是文章、書籍），再由學生自行閱讀相關書目，撰寫學術性的閱讀報告，以供自我驗收、課堂討論、教師評分。報告包括的內容應有題目、前言、正文、結語、徵引書目五個部分，依序說明如下：

一、題目

除了課堂教師有具體規定，一般狀況都是由學生自行擬定報告題目。適當的題目不僅可提供作者明確的寫作目標，也有助於規劃報告的架構層次，並讓讀者初步掌握報告的整體方向。擬定題目大抵按照作者閱讀理解或教師指定，呈現不同的深淺廣狹，以下分述爲三：

第一，點：突顯文章、書籍的單一面向。舉凡著作中的概念、學說、形式、特色、價值、定位都可作爲題目，展示作者側重的焦點。例如：

吳均〈陽羨書生〉的吞吐隱喻
白先勇〈金大班的最後一夜〉的人物形象與角色關係
司馬遷《史記‧刺客列傳》荊軻的「士不遇」
張大春〈將軍碑〉中的歷史性敘述
蒲松齡〈畫皮〉中的美惡/是非的價值觀
馮夢龍〈杜十娘怒沉百寶箱〉的主題意涵
黃春明〈蘋果的滋味〉的「蘋果」意象
荀子〈天論〉的「應天」思想

第二，線：提舉著作的某一焦點以建構微觀式的研究徑路。此是基於上述的題目內容，從個別文本注意作者整體著作的風格，或是文本自身的影響、延續與新立，找出彼此的共通性和異質性。例如：

吞吐隱喻：從〈梵志吐壺〉、〈道人奇術〉到〈陽羨書生〉的演變
白先勇《臺北人》的人物刻劃——以〈金大班的最後一夜〉爲討論中心

司馬遷《史記．刺客列傳》與〈悲士不遇賦〉的情感共鳴
張大春早年的創作歷程——以〈走路人〉、〈將軍碑〉爲例
文學／電影的共融：從蒲松齡〈畫皮〉到電影「畫皮」的改編與意義
馮夢龍〈杜十娘怒沈百寶箱〉對唐傳奇的接受
寫實主義：從吳濁流〈三八淚〉到黃春明〈蘋果的滋味〉的發展脈絡
西周「天命觀」在荀子〈天論〉的體現

第三，面：以各家作品、學術群體爲考察對象，綜觀其中的區域文化、社會現象、學術取向、歷時特色、文學風格等內容，深化主題的完整性。作家在不同時期或有相異的創作立場，作品往往有獨特的觀察與想像，學術群體亦蘊有不同的樣態、思路、語境和道理，皆可藉由微觀細繹之後，再撮取成主題性的詮釋載體。例如：

六朝志怪小說的真假／虛實
白先勇《臺北人》的國族認同與歷史記憶
有何怨乎？——司馬遷《史記》的創作本質
張大春小說中的「魔幻寫實」——兼談與唐傳奇〈杜子春〉的異同
人鬼殊途：蒲松齡《聊齋誌異》筆下的眾生相
明代「文人—歌妓」愛情小說的敘述模式
臺灣一九五〇——一九六〇鄉土文學的萌芽與確立

以上是從「點」、「線」、「面」三個層次試擬題目，彼此為相對概念，若單純從「線」或「面」視之，亦可聚焦成「點」的立論，視教師要求或課程安排而定。建議報告撰寫者初步設定題目可以先由「點」開始，集中於單一文本和主題，以小見大，行有餘力再逐步擴展至相關內容，有延伸濃縮的彈性空間，論題過大容易造成檢閱資料不易，無法如期完成報告的情況。

二、前言

在進入讀書報告的正文之前，宜先就題目、方向、架構、目的扼要闡述，作為讀者正式閱讀報告內容前的指南。一般讀書報告的字數多在五千至八千字，因此須注意前言的篇幅，字數盡量控制在一千字左右，避免頭重腳輕的敘述缺失。前言包含的內容如下：

㈠擬題緣由

若讀書報告是由學生自行設定題目，前言可詳細交代選題原因，可以是閱讀過程對某個文句段落產生疑惑、發現作者論述與其他文本的關聯、試圖透過某項理論剖析文本的學術觀點、有意結合不同課程的學習經驗、補充學界研究的空白等，但務必敘述清楚、方向明確。

㈡寫作架構

陳述完設定題目的原因，可以進一步簡要說明報告的章節大綱。若題目是一母題，那麼大綱則分屬不同子題，彼此相互綰合又可各自獨立。作者可於前言提點大綱之間的先後、層次、關聯、效用，作為讀者閱讀正文前的預期效果。

(三)進行步驟

讀書報告的要求畢竟不像學術論文嚴格，所以不一定得詳述「研究方法」，作者可採取「進行步驟」說明操作策略。例如：1.文本的鳥瞰閱讀與資料整理。2.初步分析文本中的核心概念。3.陸續收集並篩選二手資料。4.開始撰寫讀書報告。5.撰寫過程隨時注意主從架構。說明進行步驟也有助於作者考察思辨，提綱挈領地完成報告，避免發生治絲益棼、無限衍義的缺失。

三、正文

美國著名的史學家費希爾（David Hackett Fischer）提到：「問題是智力的引擎，是將能量轉化爲運動，將好奇心轉化爲有控制的探索活動的腦力機器。不提問題，就不可能有思考。」不論讀書報告的主題爲何，必定有作者的問題意識，沒有問題意識或研究動機是難以擴展報告的深度和廣度，容易變成拾人牙慧的陳言。但又必須面對的是，問題意識很多時候僅是靈光乍現或初步構想，隱含許多不確定性，該如何廓清問題意識，並基於問題意識撰寫正文是讀書報告的重要環節。

王文博在《創意思維與設計》曾述及思維慣常定勢的情形：「在長期的思維活動中，每個人都形成了自己慣用的、格式化的思維模型。當面臨某個事物或現實問題時，便會不加思索地把它們納入已經習慣的思維框架，並沿著已習慣的思維軌跡對它們進行思考和處理。這就是思維的慣常定勢。」❶傳統的語文教育不論

❶王文博編：《創意思維與設計》（北京：中國紡織出版社，一九九七年），頁一四四。

是教材教法或課程設計大多是以記憶爲導向的學習訓練，❷學生圍繞在註解字詞、翻譯文句，已習慣記憶背誦的學習模式，缺少進一步體察作者的內在情志、文本的核心價值。當然要能與文本或作者產生共鳴必然得先掌握字詞、文意、章旨等內容，採漸進式的學習步驟達成所求，兩者互爲表裡，只是既往的訓練易使學生過於強調詞彙、字義、文法，偏重記憶性的單向學習。撰寫讀書報告是一種主動選擇而非被動接受的表現，倘若以記憶爲主而鮮少涉及歸納、分析、推演、論證、考信、評論、綜合等應用思維，那麼讀書報告的內容也不易呈現深刻獨特的見地。

撰寫報告正文必須配合題目的大小以安排章節、組織架構，也許每個人過去的學習基礎和訓練不同，所以思考著眼的遠近也不一。本文借取普遍運用的5W思考模式WHAT（界定）、WHERE（地點）、WHEN（時間）、WHO（人物）、WHY（原因），再列舉前文試擬的題目爲例，提供撰寫正文前可運用的思考觸角。例如：

---

❷歷史人文學者黃俊傑教授在〈全球化時代大學人文教育的新方向〉一文中表達目前的教育問題：「當前海峽兩岸的人文教育有些什麼樣的問題呢？第一個問題是，以教科書為中心的教學方法。教科書類似一種『套裝知識』、『套裝軟體』，這種『套裝知識』的好處是，呈現了當前學術界已經取得高度共識的知識，很容易傳播給下一代。……教科書的基本性質是記憶導向的，尤其在華人社會，……記憶性的教學方法瀰漫於海峽兩岸的各級學校，導致批判性思考極端貧困。」見黃俊傑：〈全球化時代大學人文教育的新方向〉，《轉型中的大學通識教育：理念、現況與展望》（臺北：國立臺灣大學出版中心，二〇一五年），頁一八五。

題目	點——荀子〈天論〉的「應天」思想 線——西周「天命觀」在荀子〈天論〉的體現 面——先秦儒家對「天」的定義、理解及應對
What	1. 周代「天」的定義 2. 西周「天命」與東周「天道」的概念異同 3. 荀子「應天」的主張 4. 孟子「知天」的主張
Where	1. 荀子遊學齊國的學術背景 2. 齊國「稷下學宮」的成立學派與影響
When	1. 荀子至齊國稷下學宮的年歲 2. 東周「天道」觀的起源 3. 荀子〈天論〉的創作時間
Who	1. 孔子生平、時代、學說 2. 孟子生平、時代、學說 3. 荀子生平、時代、學說

Why

1. 殷商的「帝」到周代的「天」之轉變關鍵
2. 荀子〈天論〉異於東周「天道」的原因
3. 荀子撰寫〈天論〉的動機
4. 影響孟、荀論「天」差異的原因

問題意識

1. 荀子〈天論〉的思想體系
2. 荀子論「天」的時代特色
3. 孟、荀論「天」的價值與定位
4. 儒家「天人相應」的實際意義

必須說明的是，撰寫讀書報告之前，細讀文本是一切的基礎，如果沒有細讀文本，參考再多的寫作策略也無濟於事，因爲不論題目爲何，出發點都是要尋找文本中的意義，也就是「文意內在原則（principle of intra-textuality）」，❸倘若不能回歸原典，勢必難以具體運用5W的思考方法，進而展示作家與作品所涉及的樣態、思路和語境，此其一。

❸此處借用沈清松的說法，他對文意內在原則（principle of intra-textuality）的解釋是：「我們針對文本所要尋找的意義，應該都是在文本之中，而且只在文本之中。換言之，如果要瞭解某一文本，如《論語》、《孟子》、《老子》、《莊子》、《易傳》……等等，其中所要呈現的哲學意義，只能從文本中讀出，不能強加之以文本中所沒有的道理或意義。」見沈清松：〈從「方法」到「路」──項退結與中國哲學的方法論問題〉，《哲學與文化》第三十二卷第九期（二〇〇五年九月），頁六十九。

第二，因應5W各自的特點，推敲不同的思考觸角，可適時去取成爲章節架構。例如：

報告題目	荀子〈天論〉的「應天」思想	西周「天命觀」在荀子〈天論〉的體現	先秦儒家對「天」的定義、理解及應對
報告大綱	周代「天」的定義 荀子撰寫〈天論〉的動機 荀子「應天」的主張	周代「天」的定義 西周「天命」與東周「天道」的概念異同 荀子〈天論〉異於東周「天道」的原因 荀子「應天」的主張	殷商的「帝」到周代的「天」之轉變關鍵 周代「天」的定義 西周「天命」與東周「天道」的概念異同 孟子「知天」的主張 荀子「應天」的主張 影響孟、荀論「天」差異的原因
問題意識	荀子〈天論〉的思想體系	荀子〈天論〉的思想體系 荀子論「天」的時代特色	荀子〈天論〉的思想體系 荀子論「天」的時代特色 孟、荀論「天」的價值與定位 儒家「天人相應」的實際意義

隨著題目涵蓋的範疇越大，大綱的設定項目也越多，每個大綱底下又可細分爲若干小點，觸類而長，隅反旁

通，清楚架構報告內容，逐層回應所要處理的問題。因此撰寫報告可以先行擬定5W，當5W各有清楚的次序和條目，問題意識也較有具體輪廓。

第三，採取5W之目的是爲了打破慣性思維，試圖提供多元途徑，型塑切實可行的課題，不一定都能落實爲報告章節。比方Where：「荀子遊學齊國的學術背景」、「齊國『稷下學宮』的成立、學派與影響」就無法作爲報告各節的標題，但這思考方向卻有助於我們連結荀子論「天」是否有受到稷下學者如鄒衍、淳于髡、田駢、接輿、愼到等人的影響？荀子觀點和陰陽家、道家是否有互涉共通的關係？或是Where：「荀子至齊國稷下學宮的年歲」、「荀子〈天論〉的創作時間」也能作爲稷下學派啟發荀子論「天」的旁證，對於觀察問題、把握問題、解決問題有相當大的裨益。

以上是思想領域，我們可再舉文學範疇馮夢龍〈杜十娘怒沈百寶箱〉一文，並結合5W思考模式，提供讀者參考：

題目
點——馮夢龍〈杜十娘怒沈百寶箱〉的主題意涵 線——馮夢龍〈杜十娘怒沈百寶箱〉對唐傳奇的接受 面——明代「文人—歌妓」愛情小說的敘述模式與文化意涵
What
1. 〈杜十娘怒沈百寶箱〉的體裁、情節與性質 2. 〈鶯鶯傳〉、〈霍小玉傳〉、〈李娃傳〉情愛／愛情主題的內在變化 3. 「百寶箱」的隱喻

4.〈杜十娘怒沈百寶箱〉的父權文化 5.〈杜十娘怒沈百寶箱〉的敘述模式 6.明代「文人－歌妓」愛情小說的敘述模式 7.中國傳統小說敘述模式的理論
Where
1.小說故事發生的背景或地點 2.區域文化對「文人－歌妓」小說主題的影響
When
1.明代擬話本的興盛時期 2.明代「文人－歌妓」小說主題集中出現的時間點 3.古代女性表現自我認同的萌芽時期
Who
1.馮夢龍的生平、時代、作品、成就 2.文人的出身、性格、經歷 3.歌妓的出身、性格、經歷
Why
1.杜十娘投江自殺的原因——從女性自我認同談起 2.唐傳奇與〈杜十娘怒沈百寶箱〉的情愛／愛情主題的內在變化 3.明代「文人－歌妓」小說主題反映的社會現象 4.明代作家創作「文人－歌妓」小說主題的動機 5.明代「文人－歌妓」小說敘述模式改變的原因

問題意識

1. 中國傳統悲劇與喜劇的定位問題
2. 唐傳奇對後代小說的具體影響
3. 借取西方理論解讀中國傳統小說的意義

劉世劍《文章寫作學》述及主題確立的原則：「豐富的知識和經驗固然是思想產生的土壤和基礎，但是，如果作者不具備創造性的思維能力，不能有效地運用諸如輻射思考、輯集思考、反向思考及分析與綜合等思維手段，對頭腦中的知識和經驗進行人工『發酵』、提煉加工的話，主題也同樣不能在作者頭腦中確立。」❹借助5W所屬特點可以增進撰寫者的思維能力，提煉多種延伸議題，並結合自身經驗強化問題意識，從中選擇爲章節架構。但此處與思想領域題目設定的性質不同，因此以下表格所列不屬於逐層分合的擴展關係，是一自成體系的獨立命題，至於梳理問題意識、編排章節架構、思考多元題材的幫助都是相同的。

報告題目	馮夢龍〈杜十娘怒沉百寶箱〉「文人—歌妓」的主題意涵	馮夢龍〈杜十娘怒沉百寶箱〉對唐傳奇的接受	明代「文人—歌妓」愛情小說的敘述模式與文化意涵
報告大綱	〈杜十娘怒沉百寶箱〉的體裁、情節與性質	〈鶯鶯傳〉、〈霍小玉傳〉、〈李娃傳〉的情愛/愛情	明代作家創作「文人—歌妓」小說主題的動機

❹ 劉世劍：《文章寫作學》（高雄：麗文文化公司，一九九六年），頁一〇六。

	杜十娘投江自殺的原因——從女性自我認同談起	唐傳奇與〈杜十娘怒沈百寶箱〉情愛／愛情主題的內在變化	明代「文人—歌妓」小說敘述模式改變的原因
問題意識	〈杜十娘怒沈百寶箱〉的父權文化	〈杜十娘怒沈百寶箱〉的敘述模式	明代「文人—歌妓」小說主題反映的社會現象
	借取西方理論解讀中國傳統小說的意義	借取西方理論解讀中國傳統小說的意義	借取西方理論解讀中國傳統小說的意義
		唐傳奇對後代小說的具體影響	唐傳奇對後代小說的具體影響
			中國傳統悲劇與喜劇的定位問題

首先，如上所言，5W的思考模式不一定都能落實為報告大綱，卻可作為大綱中的立論基礎或撰寫核心。比方 Why：「『文人—歌妓』小說敘述模式改變的原因」可視為 What：「『文人—歌妓』愛情小說的敘述模式」中的論述主線；而 What：「『文人—歌妓』愛情小說的敘述模式」、「〈杜十娘怒沈百寶箱〉的敘述模式」也應有 What：「小說敘述模式的理論」、「『百寶箱』的隱喻」為詮釋根本，將抽象的思考模式轉化為具象的文字內容，這套過程儼然為分析、綜合的學習訓練，並在此基礎進行比較、考證、闡釋等研究方法。

第二，清代章學誠《文史通義》〈答客問上〉曰：「《春秋》筆削之義，所以通古今之變，而成一家之言者，必有詳人之所略，異人之所同，重人之所輕，而忽人之所謹。」❺謂各家發明《春秋》筆削大義必須跳脫共相上的疊合，而與他者有詳略、異同、輕重、忽謹等獨特的殊相，才能在學術潮流中佔有一席之地，成其一家之言。錢鍾書《談藝錄》也以陸游、楊萬里爲例：「人所曾言，我善言之，放翁之與古爲新也。人所未言，我能言之，誠齋之化生爲熟也。」❻將此對應到讀書報告的撰寫也是同樣道理，若某些觀點學界已有共識，報告就不必再仔細討論，宜分配彼此的詳略、異同、輕重，適度在附註引文概括前人研究概要。❼

第三，從試擬題目的內容來看，雖然〈杜十娘怒沈百寶箱〉屬於中國傳統小說，但所涉及的不只有古典文學，還包含歷史學、社會學、文化學、心理學、西方性別理論等等，所以研究者的學習歷程不能只拘守主修專業，應注重跨領域的嘗試，以學術名詞來說就是「異場域碰撞」，❽在不同領域之間的相互激盪，反而能夠有不同的火花出現。目前東、西方的學者都強調這項訓練的重要性，長期關注西方文藝理論的學者王先霈就認爲：每個學科理論都不是單一的完備體系，從思維形式的角度來看，它們共同處於一個大的學術傳統，互相都有很強的可對話性。❾美國管理學之父彼得．杜拉克（Peter F. Drucker）也強調聚合不同知識：

---

❺清．章學誠著，倉修良編注：〈答客問上〉，《文史通義新編新注》（杭州：浙江古籍出版社，二〇〇五年），頁二五二。

❻錢鍾書：《談藝錄》（北京：生活．讀書．新知三聯書店，二〇〇一年），上冊，頁三五三。

❼詳細內容可參考張高評：《論文選題與研究創新》（臺北：里仁書局，二〇一三年），頁一三七－一四九。

❽跨際思考專家 Frans Johansson 在《梅迪奇效應》一書提到「異場域碰撞」，以不同領域相互匯集就會開創新局，產生層出不窮之曠世好點子。相關內容參見 Frans Johansson 著，劉真如譯：《梅迪奇效應（THE MEDICI EFFECT）》（臺北：商周出版，二〇〇五年）。

❾王先霈：〈中西文學理論對話中概念的可對應性問題〉，《中國文學批評的解碼方式——王先霈自選集》（武漢：華中

「奠基於知識的創新的第二個特性是，它們幾乎絕少只基於單一因素，而是將好幾種不同的知識加以聚合（convergence），且不限於科學性或技術性的知識。」[10]如果能類聚不同領域的知識，經過新的組合之後可能產生新的概念，變成一項知識創新。

四、結語

結語是讀書報告的最後內容，切忌虎頭蛇尾，草率成章，因爲讀者能從結語檢視報告的寫作動機、陳述意圖、主題表現是否已清楚說明，所以即使正文已針對題目充分討論，但仍得在文末統貫前後。

(一)總括全文，評估成果

此部分屬於回顧性質，除非教師有特別規定，一般結語可包含：前言提出的問題是否已有初步解答？報告內容形成哪些明確觀點？最終的理解和學界共識有無異同？如何定位目前的學術觀察？這些方向都能作爲結語中的總括，但務必斟酌文字，擷取重點，避免不斷重覆正文中的詞語。

(二)未來展望，開拓生新

在收集材料、閱讀文獻、深入思考或實際撰寫的過程中，可能引發新的聯想，產生不同的研究議題，也許受限於篇幅長度，故無法綜述盡論。結語可將這些僅具雛形，尚待考察的主題分作近程、中程、遠程三種

師範大學出版社，二〇一〇年），頁一二一。

[10] 彼得．杜拉克（Peter F. Drucker）著，蕭富峰、李田樹譯：《創新和創業精神：管理大師彼得．杜拉克談創新實務與策略》（臺北：臉譜，城邦文化出版，二〇〇九年），頁一五四。

時程計畫（或只有近程計畫亦可，視作者能力而定），不僅可爲日後研究奠定基礎，又能拋磚引玉，增加和讀者對話的空間。

五、徵引書目

學術研究是一道累積性的轉移歷程，當前賢主張形成學術典範，後人建構新的知識模式即使不再步趨既有框架，也一定有舊典範中的理論通則。所以讀書報告若已徵引學界觀點，必須在最後列上「徵引書目」，除了表示對前人研究的尊重，也可供讀者檢覈查對。一般徵引書目的編排可分爲二：㈠傳統文獻。以歷代古籍爲主，先就經、史、子、集四部編排，再按朝代先後爲序。㈡近人論著。可依專書、學位論文、專書論文、期刊論文、會議論文等類別分點排列，接續按出版時間先後，或作者姓氏筆畫爲序。至於行文註解與徵引書目的詳細體例請參考中央研究院中國文哲所《中國文哲研究集刊》撰稿格式。

以上題目、前言、正文、結語、徵引書目是讀書報告的主要內容，箇中的寫作方式和注意事項都已清楚說明，讀者可按自己需求索驥。總體而言，撰寫讀書報告是一種學習訓練，而且整段構思過程會不斷修正，直到最後完成報告才會有初步論斷。按照美國心理學家華勒氏（Wallas, 1926）提出的創造歷程：

1. 準備期（preparation）
   蒐集有關問題的資料，結合舊經驗和新知識。
2. 醞釀期（incubation）
   百思不解，暫時擱置，但潛意識仍在思考解問題的方案。
3. 豁朗期（illumination）

突然頓悟，瞭解解決問題的關鍵所在。

4. 驗證期（verification）

將頓悟的觀念加以實施，以驗證其是否可行。⓫

此處四個分期也符合撰寫讀書報告的過程，第一階段的「準備期」是閱讀大量文獻，學習累積知識，理解相關的學術背景，當然可能還包含蒐集資料，整合各家說法。第二階段「醞釀期」已從閱讀資料轉變成思索問題，但因爲是醞釀，所以有很多問題正處於探索階段，仍充滿許多不確定性，甚至到最後的驗證期還會放棄此時預設的問題。第三階段是「豁朗期」，經由一連串的綜合發想和經驗碰撞之後，產生頓悟的發現，類似清代學者黃百家（一六四三－一七〇九）之語：「深思之久，方能于無思無慮處忽然撞著」。⓬最後是「驗證期」，將萌生的點子付諸行動，也就是透過實用的書面形式驗證預設的問題，賦予抽象概念爲具象文字。每項階段的時間長短不一，但付出的努力皆會儲備成知識經驗，投射到寫作的主體活動。所以從此角度來看，按部就班地閱讀、思考、寫作是一不變的法則，唯有躬行實踐、反覆練習才能掌握箇中心法、得心應手，符合孟子所言：「梓匠輪輿，能與人規矩，不能使人巧。」

⓫ 陳龍安：《創造思考教學的理論與實踐（第六版）》（臺北：心理出版社，二〇〇六年），頁四十七。

⓬ 清．黃宗羲原著，清．全祖望補修，陳金生、梁運華點校：〈伊川學案上〉，《宋元學案》（北京：中華書局，一九八六年），卷一五，頁六〇四。

附錄：讀書報告封面範例

橫式

系所名稱：○○○
課程名稱：○○○
指導教授：○○○

題目

系級：○○○
學號：○○○
姓名：○○○

直式

系所名稱：○○○
課程名稱：○○○
指導教授：○○○

題目

系級：○○○
學號：○○○
姓名：○○○

圖文轉譯的內功心法：從視覺語彙到多層次整合

周文鵬

一、當「閱讀」開始多元

隨著科技進步，電腦介面、手機介面的視覺化、圖標化及觸控化，令大眾不只作爲具像資訊的接受者，更因爲圖像、符號工具與即時通訊、社群網絡的結合，而同時成爲視覺表意元件的運用者。當不具備繪畫能力的人也可以藉表情icon進行非文字表達，當數位化的字型、設色、造型處理令文字重新獲得圖形化的視效加成，對語文表述而言，無論在生活、教學或工作現場中，圖文互補、圖文搭配所延伸出的多媒整合現象，其實都說明了敘事載體的轉譯及使用，是當代人不可忽視的命題。不僅和人類與生俱來的溝通、傳意需求一脈相承，更對應於思維、科技的新變，以複合視野通往識讀、理解的跨領域知能。

二〇一一年，韓國LINE株式會社（股份有限公司）的即時通訊軟體——LINE問世。五年間，註冊用戶突破十億大關。相較於MSN、YAHOO即時通等上一世代的即時通訊軟體，「饅頭人」、「熊大」、「兔兔」等不再集中呈現臉部情緒變化的具像物件，令「跳舞」、「做鬼臉」、「心碎」、「消沉」、「掩面哭泣」等動作式、情態式的意義表達成爲可能。儘管MSN Messenger 6.0曾在二〇〇三年導入表情擴充功能，令使用者可以自行以GIF（Graphics Interchange Format）檔案創建動態表情，但整體而言，小尺寸畫面、影像式表現、拼接化使用等諸多質性差異，仍使得民間一系列個人化的開發結果相對傾向觀賞性、轉貼性及娛樂性，與LINE以靜像基礎召喚使用者辨察、識讀、代入、應用的情況有所落差。由於更加要求線索認知與感受認知，情態式表達的使用無疑與情境知能互爲表裡。從語文素養的角度來看，其間跳躍在圖像、符號、文字之間的傳意邏輯，自然也疊合著當代多數人的表達思維，猶如深入原理探討、覺察分析、實例操作、命題延展的觸媒。

二、「貼圖」其實很有得聊

在達成「敘事」功能以前，「貼圖」行爲混合了「貼出畫面給某人看」，以及「貼出畫面給某人看，同時將對話語意融用其中」等兩種不同的使用層次。例如同一張拍下盤中牛排的相片，前者可能旨在表達牛排本身或正在進食等相關資訊，但後者卻可能因爲一句「反正大家現在都是俎上肉」，而在語意、語境的交疊之間形成指涉。換言之，無論早期MSN中的黃色圓臉，抑或LINE裡擔綱肢體、動作演出的各個角色，「表情貼圖」的立基，其實一開始就從後者出發，引導使用者在辨讀、理解的過程中，找出眼前畫面與心中話語的嵌合點。

(一)擴用與縮用，主動與被動

嚴格來說，「表情」雖然在即時通訊軟體的普及之下被廣泛使用，但對於用法、邏輯的討論，卻時常因爲「誰都看得懂」與「誰都懂得用」之間的連帶迷思，而較少出現系統化的整理。

以圖1爲例，雖然很容易就能看出「認眞打掃」的意思，但「一目瞭然」的圖像意涵，卻是多個視覺物件共構出來的成果。如果沒有長柄刷、水

圖1　表情貼圖（心一繪）

桶、抹布等掃除工具令事件屬性、動作目的獲得定義，如果沒有水漬、亮光表現出刷洗行爲的正向結果，那麼即使保有皺眉、抿嘴、雙眼有神等角色表情，畫面本身也很難透過汗水、揮臂等細節點綴，組織出大眾眼裡完整的「認眞」認知。

另一方面，在實際的使用場景中，經由對話語意、語境的融用，這幅「認眞打掃」的畫面也不必然只能爲「清潔」前提所用，而可能引申擴展成「清理」、「清除」的用法。例如搭配「我今天花了六小時，終於處理了電腦裡所有的木馬程式。」一句，藉電腦病毒的「壞」與「髒」完成引帶；又例如結合「你和那些損友絕交，也算開始了嶄新的人生。」一句，令「絕交」、「嶄新」等詞意同時獲得譬況式、轉化式的加乘。

有別於圖1至圖5這類畫面本義明確，核心邏輯得以超越視覺物件、提供使用者進行圖外表達的「擴用」，本義籠統、核心邏輯模稜兩可的「表情」，則大多需要前、後文協助落定事件畫面中的事件屬性及動作目的，屬於後設性、泛用性相對鮮明的「縮用」。

以圖6、圖7爲例，儘管「一個人神色颯爽地比出姆指」、「一個人狀態空洞地靈魂出竅」分別都是可被識讀的所謂本義，但由於事件、因果、行爲、目標皆付之闕如，因此兩者至多只表現出「好的」、「不好的」等相對寬泛的意義判準，必須透過對話資訊的填補，才可能自點而線地形成軌跡。

也正因爲如此，所以不僅圖6幾乎適用於吃飽飯、準時打卡、沒迷路、搶到門票、求婚成功等所有可被「搞定」的情況，圖7也可以因爲「加班到

圖2　表情貼圖（心一繪）

圖3　表情貼圖（心一繪）

圖4　表情貼圖（心一繪）

圖5　表情貼圖（心一繪）

半夜三點」、「客戶退回提案，要求改到好」、「存摺裡只剩三十元」、「媽媽收到成績單，要我週末回家」等各種取向的銜接，而交疊出累癱、絕望、崩潰、失神等異同相生、互可迭代的傳意理路。

事實上，「擴用」、「縮用」不僅是隱藏在表情選項中的類型脈絡，就質性而言，兩者也更接近光譜式的分極關係。例如圖8雖然因爲西裝、領帶、公事包等物件資訊而足以藉角色動作、神態整合出「上班族興奮跳起、喜極而泣」的理解，令成交、下班、加薪、喜獲麟兒等「上班族幸福瞬間」猶如可被識讀的事件感，但不可否認的是，這類畫面其實終究沒能切實地落定本義，是種「縮用有餘，擴用未滿」的存在。

如前所述，作爲一種行之有年的溝通、傳意工具，Line與旗下諸多表情系列的創作、使用狀況，仍有許多施、受之間的表述命題。例如以對話現場而言，圖9其實很容易在搭配「來，抱一下」、「抱抱你」這類語句、語意的情況下，形成說話者立場/身份在左、右兩者之間模糊不清。由於角色神情令兩者分別帶有喜悅、失焦兩種狀態，因此在表達安慰的情況下，理論上，給出擁抱者相對會將自我意識往左方代入，取得「好心情者鼓勵壞心情者」的敘事自覺。但以資訊細節而言，壓覆於左者之上的右者身姿，卻又同時可能因爲視覺上的先後關係，以及操作介面裡發訊者爲右側訊息的直觀連接，令抱人者產生「我略帶放空地擁抱對方，使他因獲得溫暖而浮現笑容」的辨用邏輯，與被抱者之於「對方微笑地抱了表情落寞的我」、「對方敷衍似地抱了我，回應我露出的微笑」等兩種理解方式，纏繞出各自以爲的對話

圖6　表情貼圖（心一繪）

圖7　表情貼圖（心一繪）

圖8　表情貼圖（心一繪）

圖9　表情貼圖（心一繪）

圖11　表情貼圖
（心一繪）

圖10　表情貼圖
（心一繪）

想像。

這固然是因爲複數角色的畫面帶給使用者更多可代入的視點，如圖10、圖11般製造出施者、受者等相同事件中的不同立場，但歸根結柢，主、受格關係的浮動，其實更是因爲「表情」本身「既是圖像，也似符號」的特性，往往令使用者難以察覺箇中看似毫釐、實則千里的種種差距。

(二) 圖像與符號，具體與抽象

作爲一種經群眾使用而約定俗成的後設指涉媒介，以「＋－×÷」、「$ ¥ ฿ £」爲代表，如圖12、圖13，「符號」及其替代式的運作本質已無須多作詮釋。這種藉定義黏著可視物件和指定意涵的象徵手法，不僅是十字架既能代表宗教，更能代表被信仰者、教義、教團、信眾的原因，亦是醫藥、救護、運算等其他異體系符號，雖然同樣以垂直交錯的線條構成，但卻能透過比例、粗細、角度等細微差異銜接至各別認知的理由。

相較之下，具體呈現資訊形貌、使其完成基本成像的「圖像」，則更

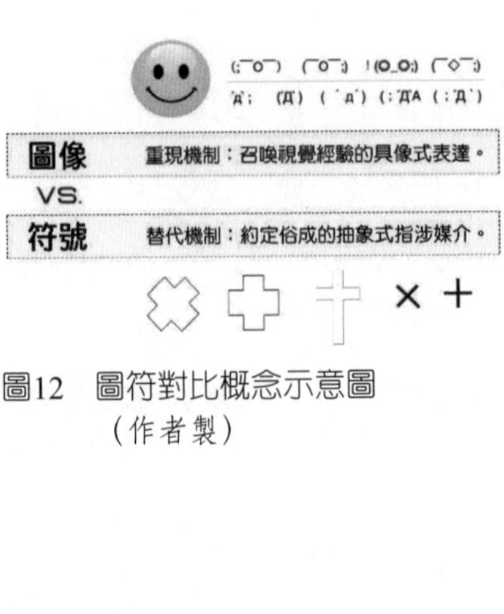

圖12　圖符對比概念示意圖
（作者製）

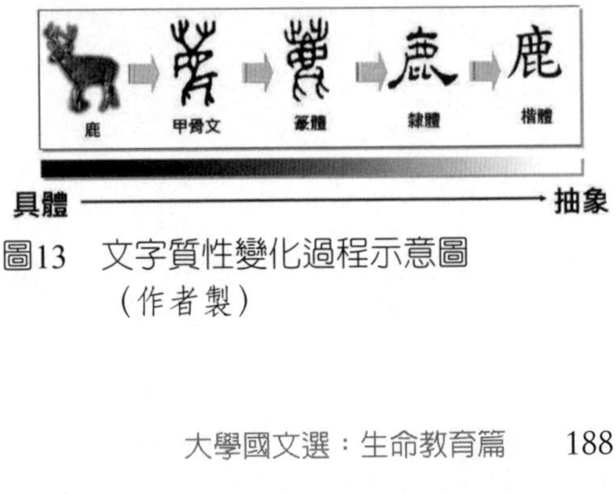

圖13　文字質性變化過程示意圖
（作者製）

接近一種所見即所得的重現式表達。例如中文從原本畫成其物的圖像表述方式，經結構省併而質變成必須讀取偏旁、筆劃的線性符號，更如同俗稱火柴人的圖14在引導識讀、認知於「人」的過程中，其實只靠畫面就能自然召喚受眾既有的視覺經驗，不必額外進行可視物件意涵定義的及教授。換言之，「具體」、「抽象」這組詞彙其實不光只是畫得寫實與否、簡要與否的差異而已，對敘事來說，它們有著更視覺、更思覺的討論維度。由此可見，無論即時通訊軟體中的黃色圓臉或熊大、兔兔，過去普遍稱它們爲「表情符號」的認知顯然並不精準。甚至「XD」、「^_^」、「@O@」等早年一度蔚爲風潮的顏文字系列，其實也至多只能稱作極簡化的圖像。

雖然重現、替代之間的圖、符分野涇渭分明，但由於象徵指涉並非只能以線性結構爲媒介，因此「以圖像爲符號」的用法便造成了許多隱蔽的盲點。嚴格來說，因爲以「表情」進行對話的使用者是人類，所以相較於「人→人」的圖1、圖2、圖3、圖6、圖7、圖8，以非人角色引導敘事者代入的圖4、圖5、圖9、圖10、圖11像，其實本身就內嵌一層「以人形圖像象徵敘事者與接受者」的符號性。這不僅使得施、受雙方同時成爲齊頭式的被象徵者，必須藉由事件資訊、構圖結果等畫面要素判斷孰爲主客，更造成了前文提及的視點選擇問題，令一次使用複數角色畫面的貼圖式對話，可能在雙方都認爲（或不認爲）自己是其中一角的情況下，未經確認地草率結束。

圖14　火柴人（作者製）

三、「敘事」其實很吃觀察

事實上，除了「以圖像爲符號」，「混合使用圖像與符號」更是當代視覺化敘事的手法大宗。例如圖1中的汗水、光痕❶、動態線，圖4的面部陰影❷，圖7的眼下線❸，圖8的下巴弧線，圖10的汗水、青筋、怒氣等等，都是將體感經驗擬實爲可視符號的象徵案例。顯然，這種表現方式高度重疊於早已普世通行、以手塚治虫爲代表的符號派日本漫畫語法❹，而這層共構自現代受眾與專業技藝的方法縱深，其實也正是視覺表述之所以逐漸成爲當代重要文學議題、表達議題的主因。

(一)拆解與識讀，進程與事件

由於同時存在圖像與符號，在暫不論及文字的情況下，一次完整的圖符識讀，其實始自視覺觀察，經過針對畫面物件的意義推理、邏輯判斷、組織思考後產生明確的觀點，如圖15。如前所述，其間拆解物件的觀察功夫可以再細分爲「辨讀非圖像的符號物件及其意涵」與「辨讀圖像物件所帶有的符號意涵」兩條同時行

❶圖1、圖4、圖6、圖8皆有使用。根據與行為、事件資訊的搭配結果，分別可代表光潔、鎖定、展現、徜徉等多樣意義。

❷搭配五官狀態，形成並強化呼應於專注表情的凹陷感。

❸搭配表情，藉線條疊合形成足以烘托、強調異常狀態的流動感及變化感。

❹一九四六年，日本於二戰後國力困頓、民心低沉。手塚治虫《新寶島》、長谷川町子《蠑螺小姐》等新興漫畫作品以想像、諧趣形成慰藉社會的力量，獲得廣泛迴響。其間表現性、娛樂性與傳播性的蘊藉，令變形、符號、電影式分鏡等有別於傳統寫實漫畫．劇畫的嘗試，深植為現代漫畫的創作基礎。

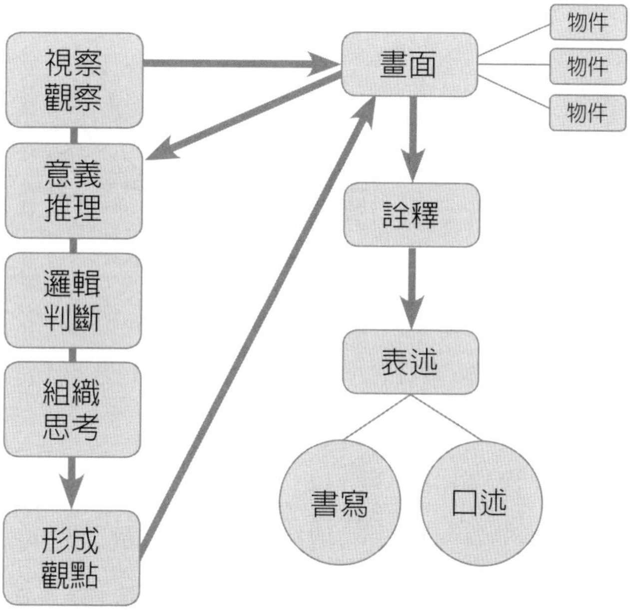

圖15　視覺識讀與表述進程示意圖（作者製）

進的軸線❺。於是自然帶出讀者心中資訊化、內容化的詮釋認知，甚至能夠因爲進行畫面內容的解析或轉述，推進書寫、口述或其他形式的呈現，成立圖像、語文之間的循環表達練習。

以圖16爲例，透過動物角色、跳臺場景、水面漣漪、水花動痕等圖像物件符號物件的整合，不難發現畫面呈現出一場正在進行的游泳競賽——雖然每位選手都

圖16　漫畫敘事概念示意圖（心一繪）

❺從結果來說，這組遊走在虛、實之間的傳意操作，也正是漫畫作品、漫畫技法及諸多視覺向創作得以在內容中寓託命題、闡引思辨的最主要原因。漫畫以外，視覺向敘事作品包括動畫、劇場、電視、電影、遊戲等動態創作。由於兼融效果線條、線性符號等視覺物件的閱聽體驗與靜態圖像存在落差，因此多綜合應用鏡位、光影、顏色、角色、場景、物象形成符號式或圖像式符號表達。

圖17　漫畫敘事概念示意圖（心一繪）

認真以待、沒有絲毫戲謔或輕忽的情態，但相較於其他恐龍的浸淫其中，長頸龍卻因爲自己體型、構造上的比例差異，一開始就意外陷入了極其尷尬的困境。誰都有過一本正經鬧笑話的時刻，誰都感受過別人一本正經鬧笑話時的氣氛，然後想著該不該放任自己失禮的笑意。事實上，畫面不過只是多重圖符效應的整合及表現媒介，圖16的「尷尬」不僅來自違和的會場氣氛、無語回望的競爭對手、專注投入的選手們和沒表情可以示人的長頸龍，更來自於讀者在完成觀點、詮釋的瞬息過程中，所有雜揉著因果想像，甚至經由自身體感經驗、感知聯想而似曾相識的竊笑情緒。

作爲一種凝縮多層次資訊的圖像敘事作品，擅長發揮政治、生活題材的單幅漫畫，其實是練習觀察和識讀的絕佳對象。它們通常提供一個或多個主題趣點等待接受者捕捉，而基礎於圖符判讀的因果想像不僅可以提取成圖17般的系統化構思，以序位概念嘗試多向式的圖像三幕劇；就知能而言，圖15至圖17的思維方法及觀察方法，也無疑能透過事件化的咀嚼意識，協助吾人在面對圖18般大量流通自網路社群、資訊農場的相片、圖片時，以因應當代資訊形態的施受者素養，爲自己找出每次瀏覽行爲的積極價值：

例如圖19便是一幅由水面、礁石、天空、手、行者所組成的畫面。但該怎麼解讀這些可視元件的意義，甚或以深及波瀾程度、灘地狀態、指腕紋理、雲朵分佈、行走姿態的細節詮釋，令各部件確實構成一組帶

圖18　網際識讀標的概念示意圖1（上四圖Stephan Schmitz，來源：https://www.ettoday.net/dalemon/post/28496；下四圖Marco Melgrati，https://www.ettoday.net/dalemon/post/32789）

圖19　網際識讀標的概念示意圖2（圖Yves Lecoq，來源：https://www.picaloha.com/blog/Artist/inspiration-photography-by-yves-lecoq/）

有敘事功能、帶有意義的有機內容，其實也考驗著讀者自身的內涵。

(二)演出與對話，圖文與資訊

作爲圖符敘事、圖像表述的再進階系列，強化了框格分配、時間表現、文字信息及代入可能的連環漫畫，實是操作前述所有視覺語彙及其施受、運用知能的最複雜場域。以圖20爲對象，在實作前練習前提下，其間可供觀察、思考的方向，便包括情境設計、人物設定、對白書寫、命題寫作及視角選擇：

1. 圖中男女關係爲何？兩人欲前往何處？
2. 請根據兩人互動狀況，設計並填入對話內容。
3. 請根據圖中情境，以第一人稱完成一篇二百字以上（含標點）的敘事短文，並加上合適題目。

圖20　連環圖像敘事概念示意圖（心一繪）

由於畫面僅以速克達機車、尋常衣裝的年輕男女構成，物件資訊有限，因此相對細節的表情變化、看似夾行於鄉間的道路、視線敞開的鏡頭運用、周遭光影的時間意味、話語篇幅的分配佔比等等，也就於焉成爲事件線索、表述構思的捕捉目標。不似愛侶的曖昧距離，透過鏡頭策略（中、近距離跳接）、背景放空（資訊減量、動向凸顯）、框格調節（重點引帶、節奏管理）等敘事處理，巧妙轉化成了騎行間扶腰、互動情緒平靜、對話速度和緩等視覺上的氛圍細節；再加上「只有男方戴安全帽，女方沒有」的落差，這份微妙的不親密感，令題一可能輻散指向同學、同事、鄰居、搭便車等有別於情侶的判斷，進而回溯兩人可能一同前往的處所，設計出足以連結角色關係、騎行事件與綜合演出的對話。

換言之，從「敘事」的角度來看，真正揉合圖像與文字，藉圖符表達構成的「圖文轉譯」，其實遠比單純情態化的貼圖、表情來得更具有情境特質。非但不只是「讀到什麼畫什麼」、「看到什麼寫什麼」的然爾循環，更必須深入視覺與思覺的交會處，尋找屬於感知力、感通力的答案。

四、「廢文」其實是照妖鏡

以「在非洲，每隔一分鐘就有六十秒過去。」爲代表，近年網路社群不時出現討論「廢文」的話題。例如集結自推特（Twitter）貼文、於二〇一七年四月出版自日本講談社文庫的《あたりまえポエム》（理所當然的詩）系列，即使到了今天，仍不時在國內各內容農場、論壇社群間轉發❻：

1. 在非洲，每隔一分鐘就有六十秒過去，如圖21。
2. 聽到你名字的時候，會先想起你的樣子。
3. 把眼睛蒙上後，不知爲何，什麼都看不見了。
4. 出生時，每個人都是裸著的。
5. 跟你通電話的那晚，確實聽見了你的聲音。
6. 摘掉眼鏡後，就什麼也看不見了。
7. 出生的瞬間，我哭了。
8. 跟你在一起時，回憶一天前的事，就像回想昨天的事情。

圖21 「烈日下，每隔一分鐘就有六十秒過去。」（心一繪）

❻ Dcard、PTT、FB 等動態資訊場域以外，坊間平臺如宅宅新聞網〈《理所當然的詩句》這真的是看完會有一種「尛」的感覺〉、bomb01〈日本近期流行的「理所當然廢話詩句」大集合，「每一分鐘就有六十秒過去」配上文青風背景讓人立刻噴笑〉、哈哈臺〈「每六十秒就有一分鐘過去」，這種廢話竟然也能出書？〉……等。

9.你不在的這十二個月，對我來說如同一年般長。
10.在你面前屏息的話，就會變得無法呼吸。如圖22。
11.當你走來，就聽見了腳步的聲音。
12.不要緊，明天一定是翌日喔！
13.比起一個人，二個人的人數更多喔。
14.大部份的雞蛋料理，都有使用到雞蛋喔。
15.夕陽沉沒後，不知怎地，天色就變暗了。

圖22 「在你面前屏息的話，就會變得無法呼吸。」（心一繪）

(一)意義與畫面，感受與感發

固然，《あたりまえポエム》（理所當然的詩）系列中確實存在8.、9.、14.般意義不明、彷彿只是單純抽換詞面或重覆解釋的句子。但就語文、表述的知能視角而言，其間多數文句其實都帶有廣大的精讀及想像空間，猶如一面透鏡，折射出接受者敏銳程度及詮釋能力的水平。例如「在非洲，每隔一分鐘就有六十秒過去。」一句，如果暫不討論刻板印象的問題，單純從文句內層加以辨析，「在○○處」一詞的區域指定性，儼然可以藉由「特定群眾」的意味成立情境理解，並透過「不同外在條件，可能令當事人以不同單位計算時間」的邏輯，令單位換算產生「舒適」、「煎熬」之間的語感衝突，完成超越物理認知的心理識讀。

又例如「跟你通電話的那晚，確實聽見了你的聲音。」、「在你面前屏息的話，就會變得無法呼吸。」、「當你走來，就聽見了腳步的聲音。」、「聽到你名字的時候，會先想起你的樣子。」等數句，其實全然可以代入仰慕、緊張、期待、惦念等多重情緒，取得「與仰慕對象通話後腦中餘音迴盪」、「在重視的人面前侷促難安」、「守候相約之人到來」、「清楚記得某人容貌及其舉手投足」等情境化、因果化、事件化的理解。換言之，如果從語文素養、讀者素養的角度來看，不可諱言，國內所有為類似系列通篇貼上

「廢文」標籤的平臺標題及評論貼文，不僅形同一再彰顯自身情境感知力與系統構思力的淺、薄、微、弱；眾聲喧嘩的戲謔，也有如敲響國語文教育在敘事、接受、審美議題上的警鐘。

視覺與情境相接，情境與事件相連。正因爲以雙眼獲取百分之八十以上的外界資訊❼，對人類而言，多數「意義」除了與「畫面」同在，更與「體感經驗」、「心理經驗」表裡連動，形成一組以意義閱讀爲起點，經畫面閱讀而觸及感受閱讀、感發閱讀的理序變化。例如「冰天雪地」不只可以作爲引導意義閱讀的文字語彙，更可以是觸發讀者具像思考的視覺語彙，是引導他們反轉所有識讀圖像的技巧。於是「嚴寒」裡能讀出雪山冰原、霜樹白瓦、凜風凍水、厚衣襖裝的畫面，而任何一種既有或類似的個人經驗，也都能因爲「失溫」、「顫抖」、「僵直」、「刺痛」等擬似且代入的感受，令接受者獲得更直觀、更立體的文意理解，甚或激盪出「冰山險，人心更險」、「凜風環伺、足履薄冰，人世與冰原別無二致」、「入山天寒，入世心更寒」等聯想應用，如圖23。

圖23　「人情冷暖」（心一繪）

(二)意象與意境，情境與境界

事實上，無論畫面、感受及感發，視覺化、具像化的表述與識讀思路，早從古典文學便有跡可循。如圖24所示，從圖像敘事與圖文轉譯的邏輯來看，「意象」、「意境」、「境界」等相對縹緲的文學詞彙，

❼陳學志、賴惠德、邱發忠：〈眼球追蹤技術在學習與教育上的應用〉（《教育科學研究期刊》，二〇一〇年十二月），頁四十。

其實也可以因爲「象」字背後的具形、仿現的意味❽，而分別解釋成「從文字讀出二維畫面」、「從文字讀進三維畫面」和「從文字讀往跨維位面」，也就是「因讀取文字意義而形成的腦內畫面」、「因置身意象畫面而感受的場域氛圍」與「因擴大感受邏輯而延展的感發聯想」。換言之，「意象豐富」、「意境高遠」、「境界超然」形同表示一部/篇作品「畫面交疊，情景感鮮明」、「氛圍深長，場域感開闊」、「視野翻變，主題感立體」；例如在〈念奴嬌・赤壁懷古〉中，「大江東去，浪淘盡」既是寫作者看著眼前景致、以文字轉錄於紙面的意中之象，亦是其知覺於臨場環境，因周身感受而觸動的流光省思。於是作品貫通的面向便一路由寫景轉進抒情、懷古及哲思，最終以有別於單層次作品的境外之界，引導讀者與其一同經歷看見畫面、進入畫面、越出畫面的超位體驗。

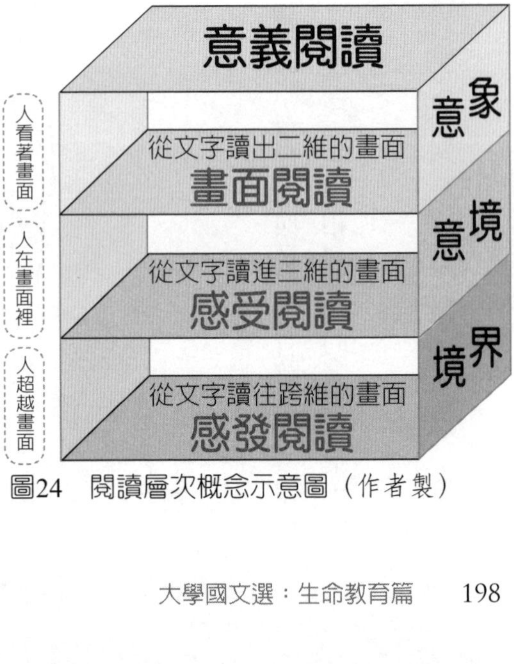

圖24　閱讀層次概念示意圖（作者製）

同理，「情景」、「情境」自然也能對照「意象」、「意境」邏輯，解釋爲「因牽動情感效應而形成的腦內畫面」和「因置身情景畫面而感受的場域氛圍」。差別在於這組以「情」字爲前綴的脈絡相對更以心理活動、心理知覺作爲對受眾映射畫面、烘托環境的途徑，猶如從意義閱讀直接帶入感受閱讀，然後再聚焦回特定畫面，藉視覺帶出可能衍生的感發。例如「夜半鐘聲到客船」（張繼・楓橋夜泊）、「秋山紅樹多」（韋應物・登樓）、「惟見長江天際流」（李白・黃鶴樓送孟浩然之廣陵）、「城春草木深」（杜甫・春

❽段玉裁《說文解字注》：「按古書多假象為像。人部曰。像者、似也。」、「韓非曰，人希見生象也。而案其圖以想其生。故諸人之所以意想者皆謂之象。」（臺北：洪葉文化，一九九九年十一月），頁四六四。

望）等總體資訊大於字面意義總和的句子，便顯然在由情入景、情景交融等傳統定義之外，更兼帶一層不同於文意進路的識讀屬性。

嚴格來說，音樂、影像都比文字更適合說明「情景」和「情境」的概念。嵇康〈聲無哀樂論〉有云：

> 音聲之作，其猶臭味在于天地之間。其善與不善，雖遭遇濁亂，其體自若而不變也。豈以愛憎易操、哀樂改度哉？

但從結果來看，吾人所謂聽來激昂、哀婉的旋律，其實往往來自聽者自身經驗與認知體會的綜合投射。於是降調和弦容易令人覺得悲傷，從而想起與其互爲表裡的連串光景，於是大調進行曲足以興起輕躍、歡快的情緒，甚至令人聯想出相關的畫面。如圖25所示，這與電影僅透過光影、鏡位、影速就能營造寂寞感、昂揚感等閱聽體驗的原理如出一轍，也正是因爲如此，戲劇作品才總是能夠成功提取觀眾既有／類似的臨場經驗，作爲敘事過程中無形卻至關重要的氛圍材料。

圖25　「一把孤獨的椅子」（心一繪）

五、當「心理意義」消亡

自貼圖而讀圖，自解圖而構圖，圖文轉譯的核心理序其實不只意義、畫面、感受、感發所遞進的閱讀與敘事知能，圖像、符號之間相互梳分、容受的用法，意象、意境、情景／

境、境界之間的向位關聯，也都是視覺語彙的運作與學習重心。如果如圖26所示，圖、文之間確是一組視覺與思覺的循環關係，那麼從文字裡讀出畫面、事件、因果的功夫，顯然更需要代入個人經驗、填充感受、捕捉氛圍的情境知覺，一如設法拆解、識讀視覺內容時，不能缺少敏感於細節、線索、邏輯的構思能力。

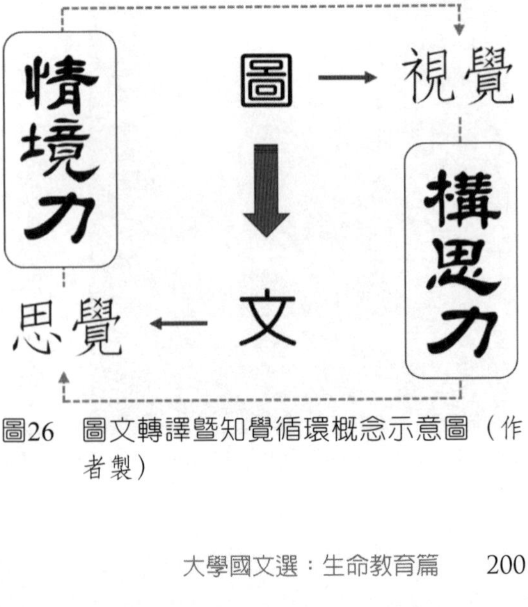

圖26　圖文轉譯暨知覺循環概念示意圖（作者製）

當「把眼睛蒙上後，不知爲何，什麼都看不見了。」無法被讀出背後的無奈與惆悵，當「比起一個人，二個人的人數更多喔。」無法被讀出可能存在的鼓勵及關懷；真正令人感到憂心的，或許不是還有多少人記得「眼不見爲淨」與「孤掌難鳴」的語意及存在，而是語文使用者逐漸失去了意義閱讀以外的其他知能，甚至對心理意義的滋味渾無所覺，只將物理式、字面式的意義施受看作語文表達的全部價值：

我看著　天真的我自己　出現在　沒有我的故事裡
等待著　我的回應　一個爲何至此　的原因
他明白　他明白　我給不起　於是轉身向山裡走去
他明白　他明白　我給不起　於是轉身向大海走去⑨

⑨本曲目共兩段內容，透過層次閱讀、事件閱讀、心理意義等實務方法，可以相同或相異主旨取得多種識讀成果。此處節錄首段歌詞。

作爲廣受年輕族群歡迎的獨立樂團，「草東沒有派對」的〈山海〉，以鮮明的音樂情境，光影、意識流劇情紛陳的MV，一度成爲厭世情懷的讚歌。然而，閃現在「天真」、「故事」、「回應」、「他」之間的相信與破滅，奚落與訕笑，自問與難堪，比較與挫敗；甚或「山」、「海」二字因足以吞沒人影而帶給怯步者的無力感——因憤世與自厭而終於決定消失在人山人海裡的懊喪……等等，卻不必然都能獲得聽者具體的解譯。儘管，介於詩、文之間的流行歌詞，已是最貼近生活、最適合練習精讀的文本。所幸，視覺表述風氣使然，「情境」、「意境」、「意象」、「畫面」亦將不斷成爲跨領域需求的內容關鍵字。也因爲如此，如何有效利用趨勢，借力使力地取得足以完整駕馭工具的素養，或許正是當代語言、文字使用者必須跨越的課題，等待吾人自視覺而思覺，反向走回前人留下的足跡。

參考資料

(一)專書（依出版時序）

清・段玉裁：《說文解字注》（臺北：洪葉文化，一九九九年十一月）。

周文鵬：《讀圖漫記：漫畫文學的工具與臺灣軌跡》（新竹：交通大學出版社，二〇一八年一月）。

(二)期刊論文（依發表時序）

陳學志、賴惠德、邱發忠：〈眼球追蹤技術在學習與教育上的應用〉，《教育科學研究期刊》，二〇一〇年十二月）。

(三)新聞資料（依發佈時序）

陳冠榮：〈【LINE 2016】開放平臺資源吸引企業與開發者，目標成為用户的「智慧入口」〉，《科技新報》，二〇一六年三月二十四日｜http://technews.tw/2016/03/24/line-conference-tokyo-2016-summry/。

陳思齊：〈LINE全球化五年十億用户 CEO辛重浩是成功的幕後推手〉，《科技網》，二〇一六年七月五日｜https://www.digitimes.com.tw/tech/dt/n/shwnws.asp?id=0000474600_ts37u3solmjl931nuytgr。

許瑞麟：〈草東沒有派對在紅什麼？魯蛇世代的心聲他們最懂〉，《ETtoday新聞雲》，二〇一七年六月二十五日｜https://star.ettoday.net/news/952578。

〈唱出厭世代的吶喊！水逆爆氣，就聽臺灣獨立樂團「草東沒有派對」〉，《ETtoday新聞雲》，二〇一八年四月十一日｜https://www.ettoday.net/news/20180411/1140525.htm。

(四)網際文獻（依發佈時序）

bomb01：〈日本近期流行的「理所當然廢話詩句」大集合，「每一分鐘就有六十秒過去」配上文青風背景讓人立刻噴笑〉，二〇一七年三月一日｜https://www.bomb01.com/article/37830。

宅宅新聞網：〈《理所當然的詩句》這真的是看完會有一種「尛」的感覺〉，二〇一七年三月三日｜https://news.gamme.com.tw/1479651。

哈哈臺：〈「每六十秒就有一分鐘過去」，這種廢話竟然也能出書？〉，二〇一七年三月十日｜https://www.hahatai.com/global-buzz/articles/3819。

公文寫作

孫永忠

壹、前言

現行公文程式條例第一條規範：「稱公文者，謂處理公務之文書；其程式，除法律別有規定外，依本條例之規定辦理。」廣義而言，公文乃舉凡機關、團體相互間，或機關、團體與人民相互間，就公務往返所需時，依其地位、權責，依照「公文程式條例」所製作的公務文書，通稱之爲「公文」。各類公文各有其功能與對象，公文程式條例第二條列舉公文程式之類別有：

一、令：公布法律、任免、獎懲官員，總統、軍事機關、部隊發布命令時用之。

二、呈：對總統有所呈請或報告時用之。

三、咨：總統與立法院、監察院公文往復時用之。

四、函：各機關間公文往復，或人民與機關間之申請與答復時用之。

五、公告：各機關對公眾有所宣布時用之。

六、其他公文。

第六項所謂其他公文，係指如書函、簽、報告、簽函、開會通知、公務電話紀錄等。限於教學時數，本單元以使用範圍最爲普遍的「函」作爲教學目標。

貳、公文「函」的撰寫

公務機關行文以函最爲常見，無論上級機關對所屬下級機關有所指示、交辦、批復的下行文；下級機關對上級機關有所請求或報告的上行文；同級機關或不相隸屬機關間行文的平行文；或民眾與機關間的申請與答復的平行文，都以函的形式來往，所以函是目前運用最廣泛的公文文類。一般考試也最常以函這種文類爲考題。

一、撰寫要領

公文要怎麼寫？一般教學或是因應各項公職考試者，通常由主動行文練習。即模擬承辦人員依據公務需要，或長官指示而主動撰稿者。必須要從公文格式、文字結構內容、行文對象及簽署等整體考量設計。

㈠掌握正確的格式

公文格式請遵照公文程式條例規範，參考本文範式製作，亦請觀察網路、公布欄之實務公文。現行公文函的格式圖解如下：

檔號：
（檔號與保存年限用 10 點字）→保存年限：

（發文單位全銜及文別用 20 點字）→◯◯◯　函

地址：00000◯◯市◯◯路0000號
（機關地址與聯絡方式用12點字）→聯絡方式：（承辦人、電話、傳眞、mail）

00000
◯◯市◯◯路◯◯號←（受文者地址用 12 點字）

受文者：◯◯◯◯←（受文者與本文用16點字）

發文日期：中華民國◯◯年◯◯月◯◯日←（發文日期等項用 12 點字）
發文字號：◯◯字第 00000000 號
速別：
密等與解密條件或保密期限：
附件：

主旨：◯◯◯◯◯◯◯◯◯◯◯◯◯◯◯◯◯◯◯◯◯
◯◯◯◯◯◯◯◯ 。←（受文者與本文用16點字）

說明：◯◯◯◯◯◯◯◯◯◯◯◯◯◯◯◯◯◯◯◯◯
◯◯◯◯◯◯◯◯◯◯ 。←（段名可依需要更易）

辦法：←（段名可依需要更易）

一、◯◯◯◯◯◯◯◯◯◯◯◯◯◯◯◯◯◯◯◯◯◯
◯◯◯ 。←（分項條列時，應遵「一項一意」）

二、

(一)◯◯◯◯◯◯◯◯◯◯◯◯◯◯◯◯◯◯◯ 。

(二)◯◯◯◯◯◯◯◯◯◯◯◯◯◯◯◯◯◯◯◯◯
◯◯◯◯◯◯◯◯◯◯◯◯◯◯◯◯ 。

正本：←（正本、副本項，均使用 12 點字）
副本：

◯長　◯◯◯←（機關首長公務用印本有制式規定，若考試、寫作時建議用 20 點字表達）

(二)巧用三段式寫作

當撰文者審愼研判案情，有了具體的書寫意見後，應選擇適當的公文寫作結構呈現。目前公文寫作結構可分爲「三段式」與「條列式」兩種，但因三段式通用在函、書函、公告、簽、報告、通告等文類，是公文撰寫最常用者。其各段重點分析如下：

1. 主旨撰寫要領：爲全文精要，以說明行文之目的與期望，應力求具體扼要。舉凡期望目的語、復文或辦理期限應該寫入主旨。字數沒有明文規定，但建議約五十字以內。不可分段，內容緊接段名下書寫。
2. 說明撰寫要領：當案情必須就依據、事實、來源或理由較詳細之敘述時運用「說明」補充。如有附件或期望收受副本者有所作爲時，均應在本段說明。本段段名，可因公文內容之需改爲「經過」、「原因」等名稱。
3. 辦法撰寫要領：若向受文者提出之具體要求或處理意見，無法在「主旨」內簡述時，運用本段補充。本段段名，亦可因公文內容改用「建議」、「請求」、「擬辦」、「核示事項」等名稱。
4. 「主旨」不可分項，內容緊接段名下書寫。「說明」與「辦法」如不分項時，比照主旨處理。若需要分項條列，但應遵守「一項一意」的原則。排列時，應另起一行，就分項層次呈梯狀遞減。
5. 「說明」、「辦法」段中內容過於繁雜或含表格型態時，可編列爲附件。
6. 採三段式結構法書寫時，案情簡單者可以「主旨」一段完成，勿硬性分割；案情較複雜者，可設計爲「主旨」、「說明」或「主旨」、「辦法」兩段；最複雜狀況，方使用「主旨」、「說明」、「辦法」三段。「說明」、「辦法」兩段段名，均可因事、因案情狀況加以調整。

(三)行文應簡淺明確

文字敘述應儘量使用明白曉暢，詞意清晰之文字，以達到公文程式條例第八條所規定之「簡、淺、明、確」，即簡要、淺顯、清晰、正確之要求。應採用語氣肯定、用詞堅定、互相尊重之語詞。不可使用艱深費解、無意義或模稜兩可之詞句。

正確使用「法律統一用字」、「法律統一用語」、「公文術語」，以及現行標點符號。「現行公文用語表」請參閱附件，而「法律統一用字」等，請參考行政院文書處理手冊（https://www.ey.gov.tw/Page/43FD318D966A30DD）。

(四)正確正副本設立

正、副本對象的設計非常重要。考量該給與否？若該給，該是正本或副本？撰寫公文時需慎重周全考慮。「公文程式條例」第九條：「公文，除應分行者外，並得以副本抄送有關機關或人民；收受副本者，應視副本之內容爲適當之處理。」此爲使用副本之依據。一般考量在能有加強聯繫並增進行政效率的效益時，可以使用副本。

要若行文對象是機關團體，應書寫其全銜，如「衛服部」全銜應爲「衛生福利部」。若正本、副本有兩個以上單位時，擬稿時應依機關層級高低或機關內組織系統表的順序排列。

正本或副本欄，應該一一列舉行文單位或個人。然若屬通案性質的公文，對象是有系統的多數時，在擬稿時常見概括式表述以求速捷。如：「全國各大專院校」、「各縣市政府」等。

(五)便宜的附件運用

爲了佐證而將相關證書、圖片等資料隨公文發送；或爲了減省公文作業，而將已經完繕之資料、公文等隨文發送，必要時必須運用附件的功能。公文程式條例第十條：「公文之附屬文件為附件，附件在二種以上時，應冠以數字。」公文附件的運用可使公文精要清晰，有理有據。

使用附件，應要在「主旨」或「說明」標明附件名稱與數量，一般標記在「說明」段為多。標記時先述附件名稱，再標示數量，如：鉛筆一隻。

㈥定制的簽署規定

函末一定由機關首長署名用印，但因行文對象不同而有差異。最常見的是「平行文」與「下行文」函，只需加蓋機關首長簽字章。但若是「上行文」，則應簽署機關首長職銜及加蓋職章。

㈦其他

其他應注意細節仍多，但特別提醒：公文程式條例第六條：「公文應記明國曆年、月、日。機關公文，應記明發文字號。」公文程式條例七條：「公文得分段敘述，冠以數字，採由左而右之橫行格式。」數字運用相關規定，請參考「公文書橫式書寫數字使用原則」（https://www.ey.gov.tw/Page/43FD318D966A30DD）。

參、公文範例

範例一

檔　號：
保存年限：

行政院　函

地址：00000臺北市○○路000號
承辦人：○○○
電話：00-00000000
傳真：00-00000000
電子信箱：000@000.000.00.

受文者：臺北市政府

發文日期：中華民國○○○年○○月○○日
發文字號：○○字第 0000000000 號
速別：最速件
密等及解密條件或保密期限：
附件：

主旨：爲杜流弊，節省公帑，各項營繕工程，應依法公開招標，並不得變更設計及追加預算，請轉知所屬機關學校照辦。

說明：

一、依本院○○年○○月○○日第○○次會議決議辦理。

二、據查目前各級機關學校對營繕工程仍有未按規定公開招標之情事，或施工期間變更原設計，以及一再請求追加預算，致弊端叢生，浪費公帑。

辦法：

一、各機關學校對營繕工程應依法公開招標，並按「政府採購法」及相關法令辦理。

二、各單位之工程應將施工圖、設計圖、契約書、結構圖、會議紀錄等工程資料，報請上級單位審核，非經核准，不得變更原設計及追加預算。

正本：臺灣省政府、福建省政府、直轄市政府、縣（市）政府
副本：行政院主計處、行政院秘書處
抄本：○○○

院長　○○○（職銜簽字章）

教育部　函

範例二

地址：臺北市中山南路 5 號
承辦人：○○○
電話：02-77366303

受文者：○○大學

發文日期：中華民國○○○年○○月○○日
發文字號：臺教高(一)字第 0000000000 號
速別：普通件
密等及解密條件或保密期限：
附件：

主旨：爲加強宣導校園尊重智慧財產權觀念，籲請貴校積極輔導、提醒師生使用正版教科書（含二手書），勿非法影印書籍、教材，以免侵害他人著作權，請查照。

說明：

一、依據經濟部智慧財產局○○○年○○月○○日智著字第00000000000 號函辦理。

二、依著作權法規定，著作人就其著作專有重製之權利，影印係重製方法之一，影印他人著作，除有符合著作權法第四十四條至第六十五條規定之合理使用情形外，應取得著作財產權人之同意或授權，始符合著作權法的規定。

三、大專校院師生影印國內、外之書籍，如係整本或爲其大部分之影印，或化整爲零之影印，這種利用行爲均已超出合理使用範圍，會構成著作權之侵害行爲，如遭權利人依法追訴，恐須負擔刑事及民事之法律責任。

四、茲爲加強宣導尊重智慧財產權，有關校園著作權宣導資料已上載經濟部智慧財產局網站（http://www.tipo.gov.tw/），取得路徑爲：該局網站首頁 / 著作權 / 教育宣導 / 校園著作權，併請轉知學校師生連結參考、運用。

正本：各公私立大專校院
副本：經濟部智慧財產局、本部技術及職業教育司、資訊及科技教育司、高等教育司

部長　○○○（職銜簽字章）

範例三

檔　　號：
保存年限：

教育部　函

地址：10051臺北市中山南路5號
傳眞：(02)00000000
聯絡人：○○○
電話：(02)00000000

受文者：○○大學學校財團法人○○大學

發文日期：中華民國109年4月1日
發文字號：臺教高㈤字第1090000000號
速別：普通件
密等及解密條件或保密期限：
附件：無附件

主旨：有關無法依實名制購買口罩之外國學生所需口罩，請依說明辦理，請查照。

說明：

一、依衛生福利部公告之口罩實名制購買制度及原則，持「停留簽證（Visitor Visa）」（在臺停留期間一八○天以內之短期簽證）者及以免簽證方式入境者（在臺停留期間九十天以內）等二類外國學生，目前無法依實名制購買口罩。

二、本部前已於一○九年三月調查各校該類外國學生數量，並於三月十八日配發兩萬片口罩供學校備用，提供予該類學生使用。惟針對後續該類學生購買口罩方式，經本部與中央流行疫情指揮中心討論後，決議由本部統一向經濟部購買後再分配各校，請各校配合辦理下列事項：

(一)一〇九年四月起，本部將以每片五元向經濟部購買該類學生所需口罩後，依各校該類外國學生數（5人以上者），以每人每週三片額度配發給學校。學生數四人以下者，請以本部先前配發之全校備用口罩，提供給該類外國學生使用。

(二)基於公平起見，請各校應比照國人購買方式，以每片五元、每周三片提供無法購買口罩的外國學生，並造冊列管，不得重複購買；至於學校向學生收取的費用，因金額有限，考量行政成本及學校因應疫情，已先行支應大額防疫經費，故作爲學校防疫經費專款專用，無須繳交本部。

(三)前述所需口罩，本部尙須與經濟部採購始能發放（到貨後將另通知各校），因此，該類學生所需口罩，在本部未發放前，請學校由本部提供各校統籌運用的備用口罩先行支用。

(四)另因本部需提供經濟部使用人數始能購買口罩，未來本部將於每月二十日請學校清查下一個月無法購買口罩的外國學生人數（將另於副指揮官line群組通知），作爲該月核發提供此類學生口罩的計算基礎。

正本：各公立大學校院（不含技術校院及空大）、各私立大學校院（不含技術校院）
副本：

註：若爲電子公文，有續密交換機制，可以免簽署。

附錄：現行公文用語表

*筆者案：本表雖力求完整，但不可能全列其變化，請配合實務案例觀察。

類別		用語 上行文	用語 平行文	用語 下行文
經辦語	直接稱謂	1. 鈞 （有隸屬關係之下級機關對上級機關用之。如：鈞院、鈞署。） 2. 大 （對無隸屬關係之上級機關用之。如：大院、大部。） 3. 鈞長、鈞座（屬員對長官或有隸屬關係之下級機關首長對上級機關首長用之。）	1. 貴 （對無隸屬關係之平行機關或人民團體用之。如貴局、貴團、貴公司等。） 2. 臺端、先生、女士、君（機關對人民的稱謂。）	1. 貴 （上級機關對下級機關用之——無論有無隸屬關係。） 2. 貴 （上級機關首長對下級機關首長用之。） 3. 臺端 （機關或首長對屬員的稱謂語。）
經辦語	發文者自稱	本 （對有隸屬關係之上級機關及無隸屬關係之上級機關自稱均適用之。如：單位自稱為本校、本縣；首長自稱為本校長、本縣長。）	1. 本 （對平行單位或人民、團體自稱用，方式如上行文所示。） 2. 本人、名字 （人民對機關自稱時用。）	本 （對下級機關自稱用，方式如上行文所示。）
經辦語	間接稱謂	1. 對機關、團體稱「全銜」或「簡銜」，如文中一再提及，必要時得稱「該」。如：「該局」、「該院」等。 2. 對屬下則稱其「職稱」。如：「該組員」、「該股長」等。 3. 對個人一律稱「先生」、「女士」或「君」。如：「王先生」、「趙小姐」、「李君」等。		
引述語		1. 奉 （引述上級來文用，通常用於句子的前端，儘量少用。） 2. 奉悉 引述上級來文結束時用。 3. 依據 （引述上級來文用，通常用於句子的前端。）	1. 准 （引述同級來文用，通常用於句子的前端，儘量少用。） 2. 敬悉 （引述同級來文結束時用。） 3. 依據 （引述同級來文用，通常用於句子的前端。）	1. 據 （引述下級來文用，通常用於句子的前端，儘量少用。） 2. 已悉 （引述下級來文結束時用。） 3. 復…………函 （復文時用。虛線中填寫來文機關、發文日期、字號與文別。）

<table>
<tr><th rowspan="2">類別</th><th colspan="3">用　語</th></tr>
<tr><th>上行文</th><th>平行文</th><th>下行文</th></tr>
<tr><td>引述語</td><td>4. 復……………函
（復文時用。虛線中填寫來文機關、發文日期、字號與文別。）
5. …………諒蒙鈞察
（對上級機關發文後，又去函續事時用。虛線中填入發文單位自稱、發文日期、字號與文別。）</td><td>4. 復……………函
（復文時用。虛線中填寫來文機關、發文日期、字號與文別。）
5. …………諒達或計達
（對同級機關發文後，又去函續事時用。虛線中填入發文單位自稱、發文日期、字號與文別。）</td><td>4. …………諒達或計達
（對下級機關發文後，又去函續事時用。虛線中填入發文單位自稱、發文日期、字號與文別。）</td></tr>
<tr><td>經辦語</td><td>1. 遵經、遵即
（對上級機關或首長表達已經遵照立即辦理。）
2. 業經、經已
（表示已經辦理。）
3. 均經（表兩件以上的案子，都已經辦理。）
4. 迭經
（表示已經辦理好幾次了。）
5. 當經
（表示當時曾經辦理。）</td><td>1. 業經、經已
（表示已經辦理。）
2. 均經
（表兩件以上的案子，都已經辦理。）
3. 迭經
（表示已經辦理好幾次了。）
4. 當經
（表示當時曾經辦理。）</td><td>1. 業經、經已
（表示已經辦理。）
2. 均經
（表兩件以上的案子，都已經辦理。）
3. 迭經
（表示已經辦理好幾次了。）
4. 當經
（表示當時曾經辦理。）</td></tr>
<tr><td>請示語</td><td>1.是否可行？
2.是否有當？
3.可否之處？
☆上述三種意思類同。通常接用適當的期望及目的語。如：是否可行？敬請核示。</td><td>無</td><td>無</td></tr>
<tr><td>允准語</td><td>無</td><td>無</td><td>1.應予照准
2.自應照准
3.應准照辦
☆與駁復語一樣，用在句末。前述三種，意思都一樣，可順前文語氣擇用。</td></tr>
</table>

類別	用語		
	上行文	平行文	下行文
期望及目的語	1. 請鑒核、請查核 （請上級鑒察審核。鑒核要挪抬，以下依此類推。） 2. 請核示 （請上級審核指示以便遵行。） 3. 請核備 （請求上級鑒察並留備考察。） ☆期望及目的語都用於主旨段的尾句。上行文可將請字加強為敬請。如：敬請鑒核。	1. 請查照、請察照、請查照辦理 （請同級單位知悉或請其依照辦理。） 2. 請辦理見復 （請同級單位照案辦理並回復，以做存案依據。） 3. 請查照見復 （請同級單位查明某案並答覆） 4. 請查照備案 （請同級單位知悉並留備查考。）	1. 請查照 （照會受文者，請其知悉。） 2. 請照辦 （照會受文者，請其照案辦理。） 3. 請辦理見復 （照會受文者，請其照案辦理，並做後續報告。） 4. 請查照見復 （請下級單位查明某案並答覆。） 5. 請轉告 （請下級單位轉知所屬。） 6. 請轉行照辦 （請下級單位轉行文告知所屬照案辦理。） ☆「請」字都可代換為「希」字。
復駁語	無	1.不能同意辦理。（比較硬性答覆。） 2.無法照辦，敬請諒察（比較委婉答覆。） ☆應述明理由，原則上比照下行文。 ☆駁復語通常用在句末。	1.應予不准 2.應予駁回 ☆二種意思一樣，順前文語氣擇用。 ☆原請求與法規不合者，應引用該法規條文或要點以為駁復。若與案例或常理不合者，應就該項案例習慣或事理擇要說明。
抄發語	抄陳 （有副本或抄件時用之。）	抄送 （有副本或抄件時用之。）	抄發 （有副本或抄件時用之。）
附送語	附陳、檢陳 （另有附件隨送時用之。）	附、附送、檢、檢送、檢附、檢同 （另有附件隨送時用之。）	附、附送、檢、檢送、檢附、檢同 （另有附件隨送時用之。）

參考資料：

1. 行政院《文書處裡手冊》（https://www.ey.gov.tw/Page/43FD318D966A30DD）
2. 孫永忠等著《新編應用文》（臺北，洪葉文化，2019年9月3版）

書信寫作

孫永忠

壹、前言

書信是人們以文字相互傳遞消息、交流思想感情的工具之一。在日常生活中，詢答問候、求物謝贈、賀喜弔喪、論事寫景等公私情事，均可以書信爲之。但隨著網路聯通便捷，手機通話方便，人們對書信的重視性普遍降低，導致書信寫作也隨之草率。其實，無論傳統紙本書信或電子書信，都有一定的講究，使用時不可掉以輕心，否則誤事傷和。本單元評估學生在學期間，可能會運用的書信情境爲主題，介紹應有的基本格式與禮儀。

貳、書信如何撰寫

本文所論者爲正式書信該如何寫作。同學間往來書信、訊息等，或因相互間默契高，格式用語較多隨簡，固無可厚非，但不在本文討論之列。

一、撰寫注意事項

書信的撰寫應由寫作之態度、措辭、行文及形式作全盤考量，方能適當得體。

(一)態度誠懇謙和

每一封書信，因收信人與發信人尊卑親疏之分別以及目的的不同，態度自然有所差異。撰寫家書或一般通候函，應謹守「對長輩恭敬、對平輩友愛、對晚輩勵勉」的基本原則。又如寫求職信應不卑不亢，自貶身價會給人平庸無能的印象，過於高傲自大，又予人浮誇恣肆之感。

(二)措辭得體合禮

書信中的關係與目的具有多變性，因此措辭必須相對呼應，方能收整體效果。如對親者不可徒飾文辭而失眞情，對疏者不可曲意奉承，交淺言深。

(三)行文簡明周到

書信本爲敘事達意，若陳述晦澀、蕪雜嘮叨，造成語焉不詳，則誤人誤己。故撰寫前應如作文一般先規劃設計，使文章邏輯明晰、文句簡練。

(四)應仔細設計Email主旨

正式書信無論紙本郵寄或藉Email電子信箱寄送，都應用正確的形式謹慎爲之，才不致貽笑大方或延誤要務。但Email信箱特設有「主旨」欄，應審愼運用。有將主旨欄空白者，可能會遭到收件人忽略而誤事。又年輕朋友在設定信箱名稱時，有非常多的創意，如主旨也不明確，很容易被視爲可疑信件。建議簡單扼要地掌握這封書信的主要目的，使收信者一目了然，字數約二十字左右。

㈤格式合乎時宜

書信的格式往往順應社會變遷而調整，這些都表現在書信結構上。相較於往昔的文言書信，時下書信的結構簡化許多，但寫作時仍須注意是否合宜，切莫漫無規矩。

二、書信基本結構

現代書信可概分爲較傳統型與新簡型兩種。前者辭采華美典雅、體製壯觀，以公務、應酬運用爲主；後者用辭清新率眞，適用於一般生活社交，也是目前較通行的形式，本單元著重於後者。新簡型書信結構簡要，只需具備「起首稱謂語」、「提稱語」、「正文」、「結尾敬辭」、「署名」、「日期」等要項。

㈠起首稱謂語

即對收信人的適當稱呼，書寫在書信第一行頂格。如「張教授」，「李院長」、「某某仁兄」等。親屬皆有固定稱呼，對親屬以外者，應斟酌彼此關係親疏、情誼深淺而定其稱謂。

㈡提稱語

與起首稱謂語連用，有表示請收信人審查、閱覽之意。使用時，必須適合收信人身分與彼此關係。如對父母使用「膝下」，對師長使用「道鑒」、同學間使用「惠鑒」等。

㈢正文

爲書信敘事達意的重心，並無定格，可比照一般作文格式。但無論問候、請託、邀約等，都應敘述清晰、條理分明，用辭切當。

(四)結尾敬辭

1. 申悃語：在信尾特別用以總結行文要旨者。如「專此」是一般使用，「耑肅奉稟」是向長上報告時用，「耑此奉覆」是回信時用等。
2. 請安語：即是祝福的話。一般習慣前文用「請」字，則後文接「安」字，如「敬請　教安」；前文用「頌」字，則後文接「祺」字，如「順頌　時祺」。

(五)署名

1. 自稱語：在署名前之自稱語應「側書」，即寫小偏上（橫式）或偏右（直式），並與「起首稱謂語」相對應，如對老師自稱「生」等。若爲公務信件，發信人可以書寫職銜表明身分。
2. 署名：爲表示負責，發信人應當署名。對家人與關係親密者，可只寫名而不道姓，對其他人，則應寫全姓名。
3. 署名後敬辭：用以表示對收信人之敬意，如「上」、「啓」、「敬上」、「謹啓」、「敬覆」等。需依彼此關係、尊卑親疏選用。

(六)日期

可標示書寫年月，亦可僅書月日者。橫式標示位置在署名右下方，直式亦有標於左下方或正下方者，唯字體均應小一些。

參、書信、信封範例

例一：學生請假信

趙老師道鑒：

敬啓者，今（二〇二〇）年十一月八日（星期日），躬逢家曾祖父九十九歲華誕，宗親長輩早已籌畫盛大慶祝活動，近日家父亦頻頻來訊，叮囑學生當日務必返鄉參加壽慶。然因學生爲馬來西亞僑生，需提早於十一月六日（星期五）啓程，方能及時趕到。緣此，六日當天下午之「應用文」課程歉難出席，敬請見諒並准予事假爲感。肅此奉稟　敬祝

教安

學生張曉明　敬上　十月二十三日

【說明】

一、結尾請安語亦可視為獨立一段。以「肅此奉稟」、「敬請教安」為例，「肅此奉稟」後空一格，接寫「敬請」，而將「教安」另起一行並平抬以示敬意。此部分可不加標點符號。

二、若以電子信箱寄送，主旨可以是：「十一月六日「應用文」課程，擬請事假一次，敬請　准假。」

例二：致客戶書信

親愛的客户：

您好！近期發現有心人士使用臉書（Facebook）社團發送廣告，徵求 iOS 免費遊戲試玩人員，宣稱：公司開發新的App，徵求用户試玩遊戲，只要試玩十分鐘且給予評價者，便能現領1000元。目前已知有多起 iPhone 手機用户受騙，導致手機被鎖，並遭歹徒勒索數千元不等的解鎖費。特此提醒不輕易將自己的 Apple ID 交付他人，謹慎開啓連結及檔案，以免落入網路詐騙集團陷阱。

專此　順頌

時祺

〇〇通訊公司客服部　敬啓　二月二十五日

【說明】本信件若以電子信箱寄送，主旨可以是「慎防歹徒利用遊戲試玩，鎖定用户手機勒索。」

例三：邀請書信

○院長尊鑒：

為增進國內外藝術治療實證研究與臨床實作經驗之交流，本校爰訂於二○二一年三月二十、二十一日假本校博雅樓國際會議廳舉辦相關學術研討會，敬邀國內外學者專家蒞臨發表專論。素仰　院長學養豐厚，更為國內藝術治療之泰斗，懇請　賜允出席二十日上午大會之開幕式，並作五十分鐘專題演講，裨益與會學者及本校師生。謹奉會議企劃書乙份以供卓參。本案聯絡人為○○○教授，聯絡電話：0000000000，歡迎賜教。

耑肅奉稟　敬頌

勳祺

○○大學藝術學院院長

○○○　敬邀

二○二○年十月十日

例四：信封

1. 中式專送

敬呈

周建成先生

張大志 敬上
月 日

2. 中式寄送

100-66

臺北市中正區南海路四十九號

國立歷史博物館

藍館長 文欽 鈞啓

桃園縣中壢市內厝里大享街五六〇號 卓緘

320-51

3. 西式專送

敬 呈

○ 教 授

4. 西式寄送

10356
臺北市大同區
太原路八〇巷五號
裕記企業股份有限公司

10641
臺北市大安區
金山南路二段86號
王大明　先生　台啓

【說明】而今信件郵遞之方式繁多，信封書寫或涉不同實務所需或有差異，請特別注意。

附錄：書信寫作用語表

一、提稱語

對象／用途	用　語
祖父母、父母	膝下、膝前
尊長	尊鑒、賜鑒、鈞鑒、崇鑒
師長	函丈、尊鑒、壇席、道鑒
平輩、同學	大鑒、惠鑒、台鑒、雅鑒
晚輩	青鑒、青覽、英鑒
政軍界	鈞鑒、勳鑒、勛鑒、麾鑒
教育界	講席、有道、道鑒、撰席
宗教界	道鑒、有道、法鑒、道覽

二、結尾敬辭

(一)申悃語

對象／用途	用　語
長輩	肅此敬達、耑肅奉稟、肅此、敬此
平輩	耑此奉達、草此奉聞、匆此布臆、專此
申賀	敬申賀悃、肅表賀忱、聊申賀悃、藉申賀悃
弔唁	恭陳唁意、藉申哀悃、藉表哀忱
申謝	肅此敬謝、肅此鳴謝、藉表謝悃、用申謝忱
辭謝	敬抒辭意、敬達辭忱、用申辭悃
送行	敬抒別意、用抒離情
申覆	耑肅敬覆、耑此奉覆、肅函敬覆、肅此布覆

㈡請安語

對象／用	用　語
祖父母、父母	敬請○福安、肅請○金安、恭叩○金安
尊長	敬請○鈞安、敬叩○福綏、恭請○崇安、順頌○崇祺
師長	敬請○誨安、恭請○鐸安、肅請○教安、敬請○道安
平輩	敬候○大安、即請○近安、敬頌○時綏、順祝○台祺
晚輩	即問○近好、即詢○近祺、順詢○近佳、附頌○日佳
政界	敬頌○勳安、即請○鈞安
軍界	敬請○勳安、即請○麾安
學界	敬請○文安、即候○文祺
商界	即請○籌安、順頌○籌祉
賀婚	恭請○燕禧、恭賀○鴻禧
賀年賀節	恭祝○年禧、順祝○節禧、即頌○歲祺、恭祝○節祺
問疾	恭頌○痊安、即請○衛安

【說明】置於書信結尾作為祝福之用，「○」代表抬敬，而且必須使用「平抬」。

三、署名下敬辭

對象／用	用　語
祖父母、父母	叩上、拜稟、肅稟、敬稟
長輩	謹稟、拜上、謹肅、敬上
平輩	謹啓、拜啓、敬啓、鞠躬
晚輩	手諭、草、白
覆信	敬覆、謹覆、覆

【說明】用於署名之下。若要鈐印，應留下適當空間再寫敬辭。

四、啓封詞

種　類	對　象	啓封詞
一般信件	直系血親長輩	福啓、安啓
	一般親友長輩	賜啓、鈞啓
	師長	道啓、賜啓、鈞啓
	直屬長官	賜啓、鈞啓、勛啓
	一般平輩	大啓、惠啓、台啓、台展
	文、教界平輩	文啓（亦可用於一般平輩）
	政、軍界平輩	勳啓、勛啓
	夫妻	同啓、儷啓、雙啓
	學生、晚輩	啓、收啓、收
	居喪者	禮啓、素啓
	宗教界	道啓、惠啓
	機關行號	公啓、台啓
重要信件	長輩	親安啓
	長官	鈞親啓、親鈞啓
	平輩	勛親啓、親啓
密件	長官	鈞密啓、親密啓
	平輩	親密啓、密啓

參考資料：

1. 蔡信發編著《應用文》（臺北：萬卷樓，2005年）

2. 孫永忠等著《新編應用文》（臺北：洪葉文化，2019年9月3版）

企劃文書寫作

孫永忠

壹、前言

本文所稱「企劃書」包含「計畫者」（plan）或「企劃書」（proposal），是針對特定目標，事先規劃、制定、實施方針與步驟的文書。企劃文書的種類，依其範疇大小可區分為「策略性企劃」與「技術性企劃」，前者指範圍廣泛且兼具整合性的長程企劃，後者主要是單項的執行企劃，或者是用來支持策略性企劃的子企劃。如果用一般的性質來作分類，又可分為事業企劃書與活動企劃書。限於篇幅與考量實際教學任務，本單元僅介紹活動企劃書。活動企劃書多屬技術性企劃，其範圍較小，執行的時間也較短，與在校學生較為相關的包括：慶典活動企劃書、旅遊活動企劃書、研習活動企劃書、專案實施企劃書等。

貳、活動企劃書的結構

雖因針對的對象與活動內容不同，活動企劃書的結構在形式有所差異。編纂者可以依照「5W」、「2H」、「1E」八個要素進行構思。「5W」是：What（目的與內容）、Who（相關人員）、Where（實施場所）、When（時間）、Why（緣由與前景）。「2H」是：How（方法）、How much（預算）而「1E」是Effect（預測效果）。或參考以下寫作要項，酌予增減合併，就實際需要而變化運用：

一、名稱：即活動企劃書的完整名稱，必要時可在主標題之後，另加副標題來作明。

二、宗旨與目標：說明辦理此項活動的主要目的，及其緣由。如果是因某種特定專案或節慶而舉辦，或者此項活動是屬於某策略性企劃的一環，也應在此說明。

三、策劃執行單位：指的是包括主辦單位、承辦單位、協辦單位與贊助單位的載明。所謂的「主辦單位」是活動辦理的權責單位，或是策劃單位；「承辦單位」是活動執行的辦理單位；「協辦單位」是活動執行的支援單位；「贊助單位」則是提供相關財物的襄助單位。如果是由上級機關下達行政命令或配合政策指示所辦理的活動，則此項之前，通常會加列「指導單位」，以註明上級機關名稱。

四、參與對象：對於參與活動人員或單位的限制說明。如果是以「報名」方式來作為參與的方式，則應載明報名資格、報名地點、報名時間等相關規定。

五、活動時間：即活動舉辦的起訖時間。

六、活動地點：即活動舉辦的確實地點。如果是不同時間在不同地點辦理，則必須逐次加以說明。

七、活動方式：主要是動、靜態方面的活動形式說明。比如校慶系列活動，動態活動項目有：校運會、校慶茶會、園遊會、校園導覽等；靜態活動項目有：校史資料展、校友書畫展、教學成果展等。有時候也可以作活動過程的敘述。

八、活動內容：即活動的具體項目與內容。此為活動計畫書的主體，通常在敘述時，會視情況加列行程表來作說明。

九、工作分配：可包括籌備與執行兩方面的工作成員組成。一般而言，籌備時以籌備委員會的組織來進行分工，而由主任委員領導行事相關事宜；執行時則多為團隊組織，大抵分為秘書、文宣、活動、服務、器材、總務、醫務等組別，而由總幹事或執行長主管其事。工作分配關係到活動的成敗，必須周延確實，以免發生推諉爭執的情形，影響活動的推行。

十、所需資源：即活動進行的各階段所需要各種資源，尤其是器材道具的洽借與製作，必須事先規劃清楚。

十一、籌備時程：指的是活動的先期籌備內容與進度。其中籌備會議的召開，牽涉到籌備事項的協調、推展與分工，是最爲重要的部分。同時籌備時程的設定，也等於是檢驗機制的建立，具有時間表與檢查表的雙重意義。

十二、經費預算：對於活動所需經費，宜分立科目加以估算，而且估算時應力求符合實際需要與實際價格，不應虛立名目，浮報金額。

十三、經費來源：可分爲自籌部分與外募部分。自籌部分是主辦單位、承辦單位與協辦單位內部撥給的款項；外募部分則是對外界各機關團體或個人所籌募的款項，通常這個部分會列入「贊助單位」具名徵信。

十四、預定成果：即舉辦此項活動所預期的成就，必須配合宗旨與目標的內容，否則代表此項活動已喪失成立的基礎意義。

十五、替代方案：通常較爲重要的或較爲大型的活動計畫中，會加上替代方案以爲突發狀況之因應，諸如室外活動遇天候不佳時的處置方案等，事先準備，可避免現場混亂情形的發生。

總之，活動企劃書沒有固定的形式與限制，構思時可以參考上述各項說明，視需要發揮巧思，酌予增減變化。

「二〇二一年全國大學生書法比賽」企劃書

壹、活動名稱：「二〇二一年全國大學生書法比賽」

貳、宗旨與目標：為提升大學生對書法藝術之興趣，承揚傳統優秀文化，關照全民美學教育與體驗，進而培成美學生活化，特辦理本活動。

參、策劃執行單位：

一、主辦單位：〇〇市政府

二、承辦單位：〇〇市政府文化局

肆、參與對象：歡迎全國公私大專院校喜愛書法藝術之學生報名參加（含研究所、大專院校、五專四、五年級之在學生，以一〇九學年第二學期在學者為準）。

伍、報名方相關規定：

一、報名方式可採線上或紙本報名。

㈠線上報名自即日起至一一〇年七月十二日止至〇〇市政府文化局網站（http://www.culture.wpc.gov.tw/）或至「二〇二一年全國大學生書法比賽」電子表單連結網址填寫資料，作品應於收件期限內寄送或親送至指定收件地址。

㈡紙本報名：至〇〇市政府文化局網站（http://www.culture.wpc.gov.tw/）「徵件申請（了解更多）活動公告 」下載報名表，完善填妥後，併同參賽作品，於收件期限內將作品寄送或親交至指定收件地址。

二、收件日期一一〇年五月十七日（星期一）起至一一〇年七月十二日（星期一）止。郵寄者以郵戳為憑，親送者以截止期限日十八時前送達承辦單位為限。

三、收件單位及地址：〇〇市政府文化局「二〇二一年全國大學生書法比賽工作小組」（00000 〇〇市〇〇區中山路〇〇號）

陸、比賽程序與相關規定：

一、初賽：

㈠書寫內容：內容自訂，惟以聖賢佳句格言或典雅詩詞為限，並註明出處。直式書寫，字體不拘，可鈐印，無須裱褙。

㈡作品規格：字數不限，採用全開（約寬七十公分×長一百三十五公分）宣紙書寫。

㈢每人以一件作品參賽為限。

二、決賽：

㈠採現場揮毫比賽方式。

㈡參賽人選：由初賽作品評選出二十名入選者，並於七月二十六日前以專函通知參賽，並同步公布於○○市政府文化局網站。

㈢日期：一一○年八月二十一日（星期六）。

㈣地點：○○市政府○樓大禮堂（○○市○○區中山路○○號○樓）。

㈤參賽者應於一一○年八月二十一日（星期六）上午，攜帶學生證、身分證，於比賽地點辦理報到手續。

㈥請選手自備水、筆、墨、硯、墊布等書寫工具。

㈦決賽時間九十分鐘，比賽用紙由主辦單位提供，宣紙每人兩張，以全開（約寬七十公分×長一百三十五公分左右）書寫。非比賽用紙一律不予評選。書寫題目當場公布。

三、作品有抄襲、代為題字、冒名頂替、身分證明文件不實或違反規定之情事者，如經查明確有上情，除自負法律責任外，主辦單位得逕取消參賽資格（獎項不予遞補），並追繳及沒入已頒發之獎座、獎狀及獎金。

四、如有重大爭議，主辦單位得邀集評審委員或專家學者重新審查認定之。

五、參賽之作品若格式與規定不符，或因個人基本資料填寫錯誤，導致無法聯繫者，均視同放棄參賽資格，不得提出異議。

六、比賽相關訊息登載於主辦單位網站（http://www.culture.wpc.gov.tw/），洽詢電話：（00）0000-0000 分機 0000。

柒、活動方式與內容：

一、比賽：比賽分初賽與決賽兩階段進行。初賽採徵件報名後，再請專業裁判評選，預計挑選二十位入選者參加決賽。決賽則採現場限題揮毫方式，再請專業裁判評定名次。

二、頒獎：由市長親自主持，活動包含：主席致詞、評審講評、頒獎、合影、參觀。

三、展覽：得獎作品將於至○○市政府大樓 0 樓藝文走廊。

捌、評審原則：

一、由主辦單位遴聘國內書法家擔任評審委員。裁判就參賽作品之格式、內容、藝術表現等方面進行評選。

二、如決賽現場書寫作品之水準與初現場書寫作品之水準有明顯差異，經評審委員決議得取消給獎。

三、評審委員會得視參賽者作品水準酌予調整各組獎勵名額。

玖、獎項與獎金：設前三名、優選及佳作若干。第一名一位，獲贈獎座及獎金兩萬元；第二名一位，獲贈獎座及獎金一萬六千元；第三名一位，獲贈獎座及獎金一萬兩千元；優選五位，每人獲贈獎狀及獎金八千元；佳作十二位，每人獲贈獎狀一張。

拾、頒獎：

一、日期：一一〇年九月十二日（星期日）

二、地點：〇〇市政府〇樓大禮堂

拾壹、作品展覽：

各組前三名及優選得獎者，作品將由主辦單位予以裱褙並展出。

一、展期：一一〇年九月十三日至九月二十七日

二、地點：〇〇市政府〇樓藝文走廊

拾貳、工作分配：任務小組設有執行長與秘書組等六組，分別賦予執行任務。

執行長與各小組組長分別為：

職　稱	職　銜　姓　名	備　註
執行長	文化局〇局長〇〇	
副執行長	文化局〇副局長〇〇	
秘書組組長	文化局〇專門委員〇〇	
比賽活動組組長	文化局藝文推廣科〇科長〇〇	
文宣組組長	新聞局〇專門委員〇〇	
器材組組長	文化局藝文推廣科〇專員〇〇	
總務組組長	文化局秘書室〇秘書〇〇	
醫務組組長	〇〇醫院〇秘書〇〇	

*（各小組工作人員及詳細工作項目與預定完成日期，請參閱附件）

拾參、籌賽期程：

項次	工作項目	日　期	備　註
1	第一次籌備會	一一〇年三月十七日（星期三）	協調、推展與分工
2	第二次籌備會	一一〇年四月十四日（星期三）	檢查各項準備進度
3	開始收件	一一〇年五月十七日（星期一）	以郵寄、親送皆可
4	截止收件	一一〇年七月十二日（星期一）	最後截止收件以郵戳為憑，親送為十八時前。
5	初賽評審	一一〇年七月二十五日（星期日）	召開評審委員會 地點：新北市政府六樓大禮堂
6	初賽成績公布	一一〇年七月二十六日（星期一）	將以專函通知參賽者，並公布於文化局網站。
7	決賽	一一〇年八月二十一日（星期六）	地點：〇〇市政府〇樓大禮堂
8	決賽評審	一一〇年八月二十二日（星期日）	召開評審會議地點：〇〇市政府〇樓大禮堂
9	公布得獎名單	一一〇年八月二十三日（星期三）	得獎名單公布於文化局網站
10	頒獎典禮	一一〇年九月十二日（星期日）	通知：事前以專函通知得獎者參加地點：〇〇市政府〇樓大禮堂。
11	得獎作品展覽	一一〇年九月十三日（星期一）	時間：一〇八年九月十三日至九月二十七日 地點：〇〇市政府〇樓藝文走廊
12	工作檢討會	一一〇年九月二十九日（星期三）	檢討活動得失

拾肆、經費預算：

「二〇二一年全國大學生書法比賽」預算表

預算科目摘要			預算金額	說　明
1	命題、評審費		62,000	
	1	命題費	2,000	決賽用題目三種
	2	評審費	60,000	初賽、決賽各五位評審，每位6,000元。
2	旅運費		4,000	
	1	高鐵車票	3,000	遠程（新竹（含）以南）裁判交通費
	2	計程車費	1,000	近程裁判交通費
3	膳飲點心費		16,400	
	1	點心費	1,000	初、決賽時，裁判使用。需十份，一份以100元估算。
	2	便當費	14,000	提供裁判、工作人員使用。約需二百盒，一盒以70元估算。
	3	瓶裝水費	1,400	提供裁判與工作人員使用。約需二百瓶，一瓶以7元估算。
4	獎金獎牌費		96,000	
	1	獎金	88,000	第一名20,000元、第二名16,000元、第三名12,000元、優選五名各8,000元。
	2	獎牌	8,000	前三名與五位優選各贈一座，每個約1,000元。
5	事務費		55,600	
	1	裱褙費	9,600	優選以上作品用，預估八件，一件約1,200元。
	2	郵電費	4,000	聯繫與資料寄送所需
	3	活動布條	2,000	比賽會場布置用
	4	活動看板	20,000	頒獎會場布置用
	5	海報	8,000	各大專院校張貼用，約需一百二十張，每張以40元估算。

預算科目摘要			預算金額	說　明
	6	攝、錄影費	12,000	活動紀錄、文宣用，包括初賽、決賽及頒獎典禮
6	雜支		11,700	以總金額5%內編列
合計			245,700	

拾伍、替代方案：一一〇年八月二十一日（星期六）決賽日與一〇九年九月十二日（星期日）頒獎日，若遇颱風、地震等天然災害，行政院人事行政總處或〇〇市政府發布「〇〇市停止上班上課」時，比賽或頒獎典禮延期舉行，相關訊息將公告於〇〇市政府文化局網站。

拾陸、預期效益：相信在社會關注下，透過比賽活動，年輕書法愛好者可有交流切磋的機會，在書法藝術的追尋必可上層樓。亦可促進地方藝術與文化的發展，深耕社區美學理念，培育生活美學觀念，促進本府所倡「生活美學化」之目標。

附件：「二〇二一年全國大學生書法比賽工作小組名單、分工表」（略）

「古韻新妍——天主教學校青年詩詞吟唱大會」活動企劃書

1. 活動名稱：古韻新妍——天主教學校青年詩詞吟唱大會
2. 活動目標：東籬詩社師生二十餘年耕耘，致力推廣古典詩詞吟唱。近來除至各級中、小學示範、教學，培育新苗，更與海內外各大專院校交流、觀摩，蔚成青蔭。此回首次邀集天主教學校中不同年齡層之同好，各展所長。將可凝聚天主將學校之間情誼，宣揚各校平日結合中西文化優點，在傳統文化繼承與創新的成效。
3. 指導單位：輔仁大學使命室、輔仁大學中文系
4. 主辦單位：輔仁大學中文系東籬詩社
5. 展演單位：曙光女中國一語文資優班、曉明女中詩詞吟唱社、徐匯中學詩詞吟唱社、輔仁大學中文系東籬詩社（各校參加展演師生與貴賓名單，請參閱附件一）
6. 邀約對象：本校教職員生及社會對本活動有興趣者
7. 展演內容：新詩與古典詩歌吟唱
8. 展演地點：輔仁大學濟時樓九樓國際會議廳
9. 展演時間：中華民國○○○年○○月○○日十三時至十五時
10. 指導老師：○○○副校長、○○○主任、○○○老師、○○○老師
11. 行政支援：○○○老師、○○○助教
12. 工作人員與工作項目：（詳細工作項目與完成日期，請參閱附件二）

社　　長：周吟儒
副 社 長：羅怡明、李宇軒
總 幹 事：許逢仁
副總幹事：張珈蜜、林宜賢、胡惠琪
文 宣 組：李宇軒（組長）、李憶萱、何孟穎、王馨儀
接 待 組：曾堯圻（組長）、劉明怡、胡家寧、趙君偉、劉嘉鎂、李冠樺
事 務 組：鍾維憶（組長）、林荃瑋、林裕濠、賴立納、林奕馨
場 佈 組：孫正豪（組長）、吳庭輝
舞 臺 組：辛軍霖（組長）、王業竣、蔣宗琦

司　　儀：蕭亞筑、賴詩薇

攝、錄影：陳志源、許毓倫

海報設計：孫劭畋

13. 經費預估：總預算新臺幣壹十二萬元整，分項列算如下表：

項　目	單價×數量×次數（金額以新臺幣元計算）
各校交通費	7000×3＋3000（輔大）
茶水費	8×200
便當費	60×300（含籌備會 2 次）
鮮花	500×4
場地費	5000
錄音錄影	3000
海報	8000
紀念品	40×300
紀念獎牌	800×4
活動布條、看板	2300
工友加班費	2000×2（含前一天場地布置）
展演師生保險費	70×130
服裝費補助	12000
各項文宣材料	2000
活動手冊印刷費	30000
雜支	6100
總計	12000.00

14. 活動日程表：

「古韻新妍——天主教學校青年詩詞吟唱大會」活動日程表（0000.05.09）

時　間	地　點	活　動　內　容
08:00—09:30	報到	輔仁大學文華樓 LI100 教室

時　間	地　點	活　動　內　容
09:30—11:30	國際會議廳	各校綵排 輔仁大學（09:30-10:00）、徐匯中學（10:00-10:30）、曉明女中（10:30-11:00）、曙光女中（11:00-11:30）
11:30—13:00	各校休息室	午餐、預備時間
13:00—13:20	國際會議廳	開幕式 ○○○副校長主持 貴賓致詞 大會合影
13:20—14:50	國際會議廳	各校展演順序 1.○○○主任引介 曙光女中語文實驗班 2.○○○老師引介 曉明女中詩詞吟唱社 3.○○○老師引介 徐匯中學詩歌吟唱社 4.○○○老師引介 輔仁大學東籬詩社
14:50—15:00	國際會議廳	閉幕式 ○○○主任主持
15:00	輔仁大學	賦歸

15. 預期效益：在交互激盪中，透過誦讀與吟唱，參與者得以涵泳玩索詩詞意境，領略聲、情合一的美感，同時證明「人文素養」不僅是課堂上推敲的知識，而是生活中相互濡染的力量。本活動必可凝聚天主教學校之間情誼，擴染優美傳統文化繼承與創新的成效，更可做爲下次擴展的基礎。

附件：（本書爲節省篇幅，故附件一、二略錄，但實際撰寫如有附件則必須依實附列）

2020輔大愛狗社桌曆募資計畫

一、文字部分

FJU Doggy Club 020 FlyinqV 募資平臺文案

1.關於我們

輔仁大學關懷流浪動物志工團隊，又稱愛狗社，由一群熱愛動物的師生及校友自發性創立於二〇〇三年。主要負責照護校國內三十餘隻浪犬、解決校園及周遭流浪動物之問題，工作包含每日清掃狗舍、顧狗，並適時予以醫療照謹，提供牠們遮風避閪的落腳之處，及滿足牠們基本的身心健康。無論酷暑寒冬、颱風下雨三百六十五日不曾懈怠，只望能給予牠們更多愛與溫暖。

然而照讓所有犬隻一生並非愛狗社的最終目標，我們深信每隻毛孩都值得擁有一個幸福的家，希望藉由我們的陪伴與協助，最終能爲牠們尋得一個屬於自己最終的歸屬，使流浪生涯得以靠岸。

2.我們的工作

—每日清掃狗舍、帶所收容犬隻散步並適時予以醫療照顧。

—輔大校園及周遭流浪動物之狀況處理。

—每年施打預防針，並定期爲貓犬驅蟲除蚤。（餵食心絲蟲預防藥、使用蚤不到滴劑）

—推廣認養不棄養，盼能將校園及周遭浪貓浪犬之數量大幅降低。

—實施輔大校園及周遭流浪貓犬的TNVR。

Trap（誘捕）、Neuter（結紮）、Vaccination（施打疫苗）、Return（原地回宜）

—定期至勤保團體服務。

3.支出

醫療：394905 /貓狗用品：7,449

火化：13,000 / 活動：5,802

雜支：55,814 / 飼料罐頭（罐頭飼料奶粉等）：5,889

二〇一八年總支出總計482,859元

詳情請見輔仁大學關懷流浪志工團隊痞客邦部落格

https://lfjudoggyclub.pixnet.net/blog

非常感謝臺灣照顧生命協會長期捐助貓犬飼料，以及 DoggyWillie 輕寵食長期捐助鮮食粉，讓貓狗們免於承受饑餓之苦、且吃得營養又健康！也使我們得以省下大筆糧食費用。

4.募資介紹

邁入第十七個年頭，愛狗社有幸參與了許多毛孩的生命，見證了牠們一生的風風雨雨，有些狗狗幸運地與緣份相遇，有些則在狗舍度過大半輩子。

如今校內犬隻半數以上已邁入中老年，伴隨著人力缺乏、資源不足等等問題，老犬照護需要投入更多耐心、時間及龐大醫護費用，是愛狗社正在學習的一大課題。

因此本次桌曆便以老犬特徵爲主題，在攝影師Karren的魔法下，將老犬們充滿魅力的一面呈現給大家，希望能帶給大家溫馨逗趣的二〇二〇！

而我們的經費來源，除了各方善心人士的慷慨解囊及申請之補助，絕大多數即來自每年度的愛心募資計畫，近幾年，Doggy Club的募資計畫有幸受到大眾注目與支持，承蒙來自四面八方的愛心，我們終於還清至今積欠獸醫院的帳款，不再負債累累。

並在此特別感謝聖安動物醫院及銘德動物醫院的寬宏大度，讓我們能以治療毛孩爲優先，免於爲籌措經費而慌忙憂慮的窘境。

單憑Doggy Club成員薄弱的力量難以達到今日的成果，因爲有大家一直以來的支持與幫助，我們才得以無慮地爲流浪動物們盡這份心力，甚至改變牠們的一生。

您們的支持是我們堅持下去的力量及成長的養分，我們會竭盡所能，將有限的經費發揮出無限的價值，只盼能給予毛孩們更優良的醫療照顧及生活品質，無論牠們最終能否邂逅緣份並獲得溫暖的歸宿，我們都將一步一步伴隨左右，走到最後一刻。

5.設計師、攝影師介紹

—海流設計

期許自己能以設計的力量成爲默默影響社會的設計團隊。

主張任何的設計都應從解決需求開始，擅長站在業主的角度換位思考，我們始終與客户在同一艘船上，並期許能在美感與設計需求間取得平衡。邀請認同我們設計理念的朋友與我們一同激盪、歡迎秉持與我們擁有共同信念的任何合作機會。

—Karren Kao高愷蓮

拍攝底片攝影作品起家，作品類型涵蓋範圍廣泛，以帶有自然感情與靈活想法爲其特色，目前活躍於各種攝影場域，曾爲眾多藝人與獨立樂團拍攝專輯與 MV 平面，並經常性與不同領域人士進行合作創作並舉辦展覽，工作與創作之餘，Karren長年拍攝流浪動物紀實，並與許多動物保護團體合作。

Site I cargocollective.comjkarrenkao

Facebook I www.facebook.comjKarrenKao

6.固饋方案

由於非正式社團，無法開立抵稅收據或發票，敬請包容見諒。

—二〇二〇桌曆

今年桌曆做出和以往不同的突破，每月皆含一張印有當月 model 簡介和照片的可愛小書籤！並以老犬爲主題，打破大眾對年邁的既定印象，融合老犬特徵和趣味風采，將牠們充滿魅力的各種姿態呈現給大家，帶給大家溫馨逗趣的二〇二〇！

—明信片（內含十二張）

俏皮的模樣、憨呆的模樣、逗趣的模樣……以老犬爲主題，在攝影師 Karren 施展的魔法下，呈現牠們千變萬化的姿態及您想像不到的一面。超高質感的明信片送禮自用兩相宜～趕緊找親朋好友一同來收藏！

—資料夾（一組三款）

以輔大校園爲背景，雜摳、來福、東東、黑弟，四位校園明星陽光清新的面貌展露無疑！共三款，快將實用又可愛的資料夾認養回家吧！

—紅包袋（內含六個）

共兩款，以校園明星「雜摳」與「來福」爲 model，過年喜慶都適宜～

7.結語

FJU Doggy Club 僅代表所有校園內的毛孩們，感謝您的愛心與關懷！

如有任何建議與問題，歡迎於各大平臺與我們聯繫！

Facebook | FJU Doggy Club-輔大愛狗社

Instagram | @fjucutedog

痞客邦部落格 | https://fjudoggyclub.pixnet.net/blog

社長　羅彩菱同學 | 0976-〇〇〇-〇〇〇

8.特別感謝

臺灣照顧生命協會、Doggy Willie輕寵食、聖安動物醫院、銘德動物醫院、山群動物醫院、同伴動物醫院、Vanessa李絜駖訓犬師、輔大眼鏡行、斑比貓居、輔仁大學織品與服裝學院、葱比薩、吃貓的黑店、印不停數位印刷、指導老師林耀南老師，以及每一位領養我們毛孩的爸媽，每一位支持我們的志工與朋友。

二、圖檔部分

專案內容
$200
$200
$400
$770
2020 輔大愛狗社桌曆募資計劃
輔仁大學關懷流浪動物志工團隊(FJU Doggy Club)
輔仁大學關懷流浪動物志工團隊(FJU Doggy Club)，又稱愛狗社，由
一群熱愛動物的師生及校友自發性創立於2003年。主要負責照護校園
內30餘隻浪犬、解決校園及周遭流浪動物之問題，工作包含每日清掃

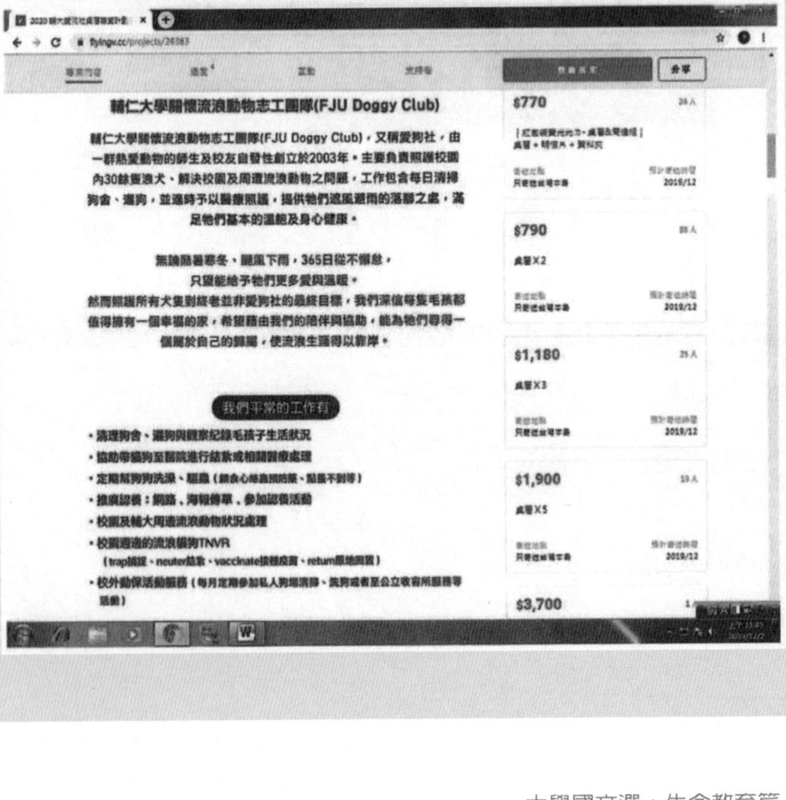
輔仁大學關懷流浪動物志工團隊(FJU Doggy Club)
輔仁大學關懷流浪動物志工團隊(FJU Doggy Club)，又稱愛狗社，由
一群熱愛動物的師生及校友自發性創立於2003年。主要負責照護校園
內30餘隻浪犬、解決校園及周遭流浪動物之問題，工作包含每日清掃
狗舍、遛狗，並適時予以醫療照護，提供牠們遮風避雨的落腳之處，滿
足牠們基本的溫飽及身心健康。
無論酷暑寒冬、颳風下雨，365日從不懈怠，
只望能給予牠們更多愛與溫暖。
然而照護所有犬隻到終老並非愛狗社的最終目標，我們深信每隻毛孩都
值得擁有一個幸福的家，希望藉由我們的陪伴與協助，能為牠們尋得一
個屬於自己的歸屬，使流浪生涯得以靠岸。
我們平常的工作有
・清理狗舍、遛狗與觀察紀錄毛孩子生活狀況
・協助帶領狗至醫院進行結紮或相關醫療處理
・定期幫狗狗洗澡、驅蟲
・推廣認養：網路、海報傳單，參加認養活動
・校園及輔大周邊流浪動物狀況處理
・校園週邊的流浪貓狗TNVR
（trap捕捉、neuter結紮、vaccinate接種疫苗、return原地回置）
・校外動保活動服務
$770
$790
$1,180
$1,900
$3,700

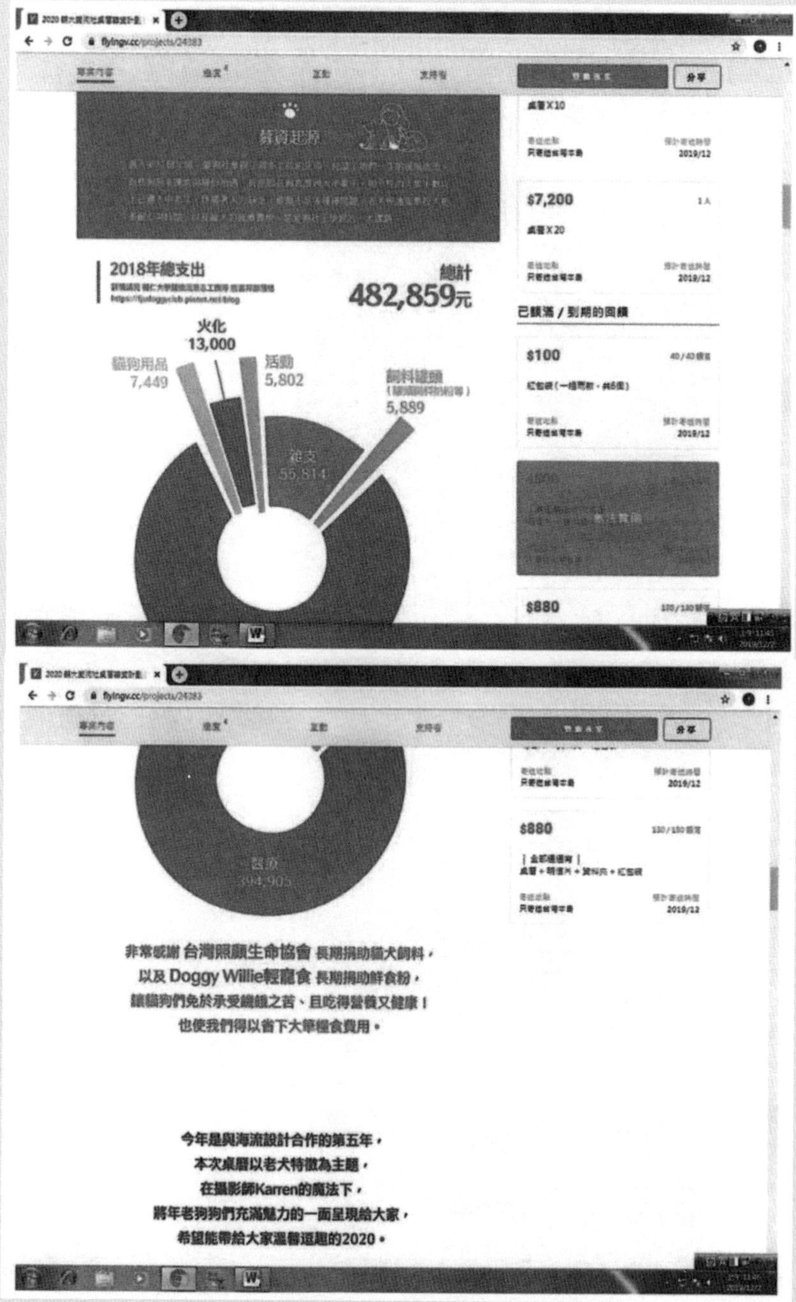
fiyingv.cc/projects/24383
分享
募資起源
2018年總支出
https://fjudoggyclub.pixnet.net/blog
總計
482,859元
火化
13,000
貓狗用品
7,449
活動
5,802
飼料罐頭
5,889
絕支
55,814
醫療
394,905
$7,200
1人
已額滿 / 到期的回饋
$100
$880
2019/12
非常感謝 台灣照顧生命協會 長期捐助貓犬飼料，
以及 Doggy Willie輕寵食 長期捐助鮮食粉，
讓貓狗們免於承受饑餓之苦、且吃得營養又健康！
也使我們得以省下大筆糧食費用。
今年是與海流設計合作的第五年，
本次桌曆以老犬特徵為主題，
在攝影師Karren的魔法下，
將年老狗狗們充滿魅力的一面呈現給大家，
希望能帶給大家溫馨逗趣的2020。

flyingv.cc/projects/24383
分享
Karren Kao 高愷蓮
http://www.facebook.com/karrenkao

flyingv.cc/projects/24383
分享
雲母
六六
七七

分享
回饋方案介紹
(圖片皆為示意，以實體為主)
2020年
桌曆
22x23cm

分享
2020年
桌曆
22x23cm

A4-L夾
21x29.7cm

明信片
一套12張

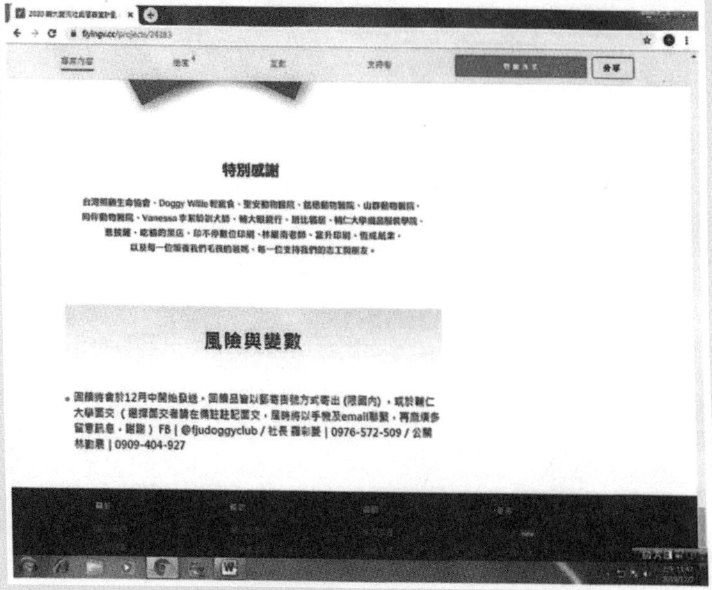

參考資料：

1. 孫永忠等著《新編應用文》（臺北：洪葉文化，2019年9月3版）
2. 莊銘國、卓素娟《創新思考與企劃撰寫：理論與應用》（臺北：五南圖書，2019年）

Note

國家圖書館出版品預行編目資料

大學國文選：生命教育篇／孫永忠主編. -- 五版. -- 臺北市：五南圖書出版股份有限公司, 2021.09
面； 公分
ISBN 978-986-522-975-7（平裝）

1.國文科 2.讀本

836 110011655

1X8M 國文系列

大學國文選：生命教育篇（第五版）

輔仁大學國文選編輯委員會
召 集 人— 王欣慧
主　　編— 孫永忠
編　　撰— 王欣慧、王秀珊、余育婷、李鵑娟、邱文才、林郁迢、孫永忠、陳恬儀、黃培青、劉雅芬
助理編輯— 陳志源
發 行 人— 楊榮川
總 經 理— 楊士清
總 編 輯— 楊秀麗
副總編輯— 黃惠娟
責任編輯— 陳巧慈
封面設計— 陳亭瑋
校　　對— 謝怡婷
出 版 者— 五南圖書出版股份有限公司
地　　址：106臺北市大安區和平東路二段339號4樓
電　　話：(02)2705-5066　傳　　真：(02)2706-6100
網　　址：https://www.wunan.com.tw
電子郵件：wunan@wunan.com.tw
劃撥帳號：01068953
戶　　名：五南圖書出版股份有限公司
法律顧問 林勝安律師
出版日期 2012年9月初版一刷
2013年9月二版一刷
2015年9月三版一刷
2020年9月四版一刷
2021年9月五版一刷
2023年9月五版三刷
定　　價 新臺幣360元

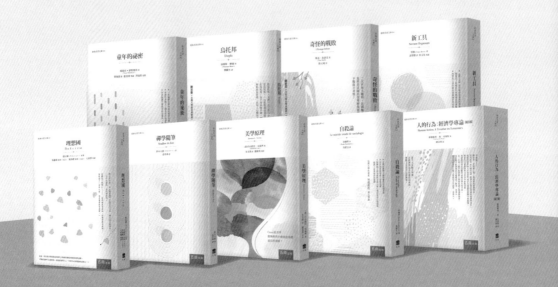